真《しん》宗《しゅう》児《じ》童《どう》聖《せい》典《てん》

東《ひがし》本《ほん》願《がん》寺《じ》

君《きみ》たちへ

君《きみ》は明日《あす》どのようなことに出会《であ》うのだろうか
君《きみ》はどんな友《とも》だちと出会《であ》うのだろうか
君《きみ》はつらく悲《かな》しいことにも出会《であ》うかもしれない
立《た》ちはだかるカベがあれば、懸命《けんめい》に挑戦《ちょうせん》するのもいい
つらければ泣《な》けばいい
つらいなみだは、君《きみ》のこころを浄化《じょうか》し、温《あたた》めてくれるだろう
悲《かな》しみは、君《きみ》をやさしくしてくれるだろう
出口《でぐち》のないトンネルで迷子《まいご》になるかもしれない
ときには、損《そん》をし、傷《きず》つくこともあるかもしれない
負《ま》けて傷《きず》つく君《きみ》が素敵《すてき》なときもある

いつか、星《ほし》と星《ほし》が線《せん》で結《むす》ばれ星座《せいざ》になるかもしれない
すべてのことが、いつの日《ひ》か「無駄《むだ》ではなかった」といえたらいい
ほんの少《すこ》しの勇気《ゆうき》を小《ちい》さなポケットに入《い》れて行《い》こうじゃないか
君《きみ》には「こころのふるさと」があるじゃないか
「目《め》には見《み》えない世界《せかい》」を大切《たいせつ》にしてほしい
そして『真宗児童聖典《しんしゅうじどうせいてん》』と共《とも》に歩《あゆ》んでほしい

―本書について―

本書は、一九二四年から一九二六年にかけて、大谷派本願寺（真宗大谷派）社会課機関誌『児童と宗教』に連載された「真宗児童聖典私考」を基に書籍化したものです。「真宗児童聖典私考」は、仏教学者の大河内了悟《おおこうちりょうご》氏が編著者となり、『仏説無量寿経』、『仏説観無量寿経』、『仏説阿弥陀経』、『正信偈』のこころを当時の子どもたちに伝えようと語りなおしたものです。連載から約百年が経つ今、大河内氏の願いを引き継ぎ、現代の子どもたちに伝わるよう、あらためて言葉を吟味し、出版いたします。「真宗児童聖典私考」によっているため、本書には、原典にはない表現も見られます。本書をとおして、原典にこめられた〝ねがい〟にふれていただければ幸いです。

真《しん》宗《しゅう》児《じ》童《どう》聖《せい》典《てん》　目《もく》次《じ》

仏《ぶっ》説《せつ》無《む》量《りょう》寿《じゅ》経《きょう》

主《おも》な登場人物《とうじょうじんぶつ》　『仏説無量寿経《ぶっせつむりょうじゅきょう》』編《へん》

○お釈迦《しゃか》さま……真理《しんり》に目覚《めざ》めた人《ひと》。釈迦族《しゃかぞく》の王子《おうじ》として生《う》まれる。苦《くる》しみ悩《なや》むすべての人《ひと》に真実《しんじつ》（仏教《ぶっきょう》）の教《おし》えを説《と》く。

○阿難《あなん》……お釈迦《しゃか》さまの弟子《でし》であり、いとこ。いつもお釈迦《しゃか》さまの身《み》の回《まわ》りのお世話《せわ》をしながら、お釈迦《しゃか》さまの話《はなし》を一番《いちばん》よく聞《き》いた。『無量寿経《むりょうじゅきょう》』での物語《ものがたり》は、阿難《あなん》の問《と》いに対《たい》して語《かた》りはじめられる。

◇法蔵菩薩《ほうぞうぼさつ》……お釈迦《しゃか》さまが話《はな》された物語《ものがたり》に登場《とうじょう》する菩薩《ぼさつ》さま。一国《いっこく》の王《おう》さまだったが、世自在王如来《せじざいおうにょらい》のお話《はなし》を聞《き》いて感動《かんどう》し、誰《だれ》もが救《すく》われる国《くに》をつくりたいと願《ねが》う。

◇世自在王如来《せじざいおうにょらい》……「世《よ》を自在《じざい》に生《い》きる王《おう》」という意味《いみ》の名《な》のほとけさま。法蔵菩薩《ほうぞうぼさつ》にさまざまなほとけの国《くに》を見《み》せる。

◇阿弥陀《あみだ》さま……法蔵菩薩《ほうぞうぼさつ》が願《ねが》いを達成《たっせい》し、ほとけさまとなったときの名《な》。すべての人《ひと》を救《すく》いたいと願《ねが》い、48の本願《ほんがん》をたて、浄土《じょうど》という国《くに》をつくる。

◇弥勒菩薩《みろくぼさつ》……56億《おく》7千万年後《せんまんねんご》に、ほとけさまになることが決《き》まっている菩薩《ぼさつ》さま。『無《む》量寿経《りょうじゅきょう》』での物語《ものがたり》は、弥勒菩薩《みろくぼさつ》に対《たい》しても話《はな》されている。

※ ○は、実在《じつざい》の人物《じんぶつ》。◇は、お釈迦《しゃか》さまのお話《はなし》に登場《とうじょう》するほとけさまや菩薩《ぼさつ》さま。

『仏説無量寿経《ぶっせつむりょうじゅきょう》』

ある時《とき》、お釈迦《しゃか》さまがインドの耆闍崛山《ぎしゃくっせん》という山《やま》に、一万二千人《いちまんにせんにん》もの大勢《おおぜい》の弟子《でし》たちといっしょにおられました。弟子《でし》たちは、お釈迦《しゃか》さまと同《おな》じように尊敬《そんけい》される人《ひと》ばかりです。

その日《ひ》、お釈迦《しゃか》さまのにこやかな顔《かお》とすがたは、かがやいていました。

弟子《でし》の一人《ひとり》阿難《あなん》は、お釈迦《しゃか》さまのすがたが、いつもとちがうことに気《き》がつきました。そして、手《て》を合《あ》わせてこう言《い》いました。

「お釈迦《しゃか》さま、今日《きょう》のお顔《かお》とおすがたは、とてもかがやいていますね。わたしは、初《はじ》めて見《み》ます。きっと、あたたかくやさしいほとけさまのおこころを、思《おも》われているのでしょう。どうぞ、その理由《わけ》をお聞《き》かせください」

そこで、お釈迦《しゃか》さまは、そっと口《くち》を開《ひら》いて、次《つぎ》のように話《はな》しはじめました。

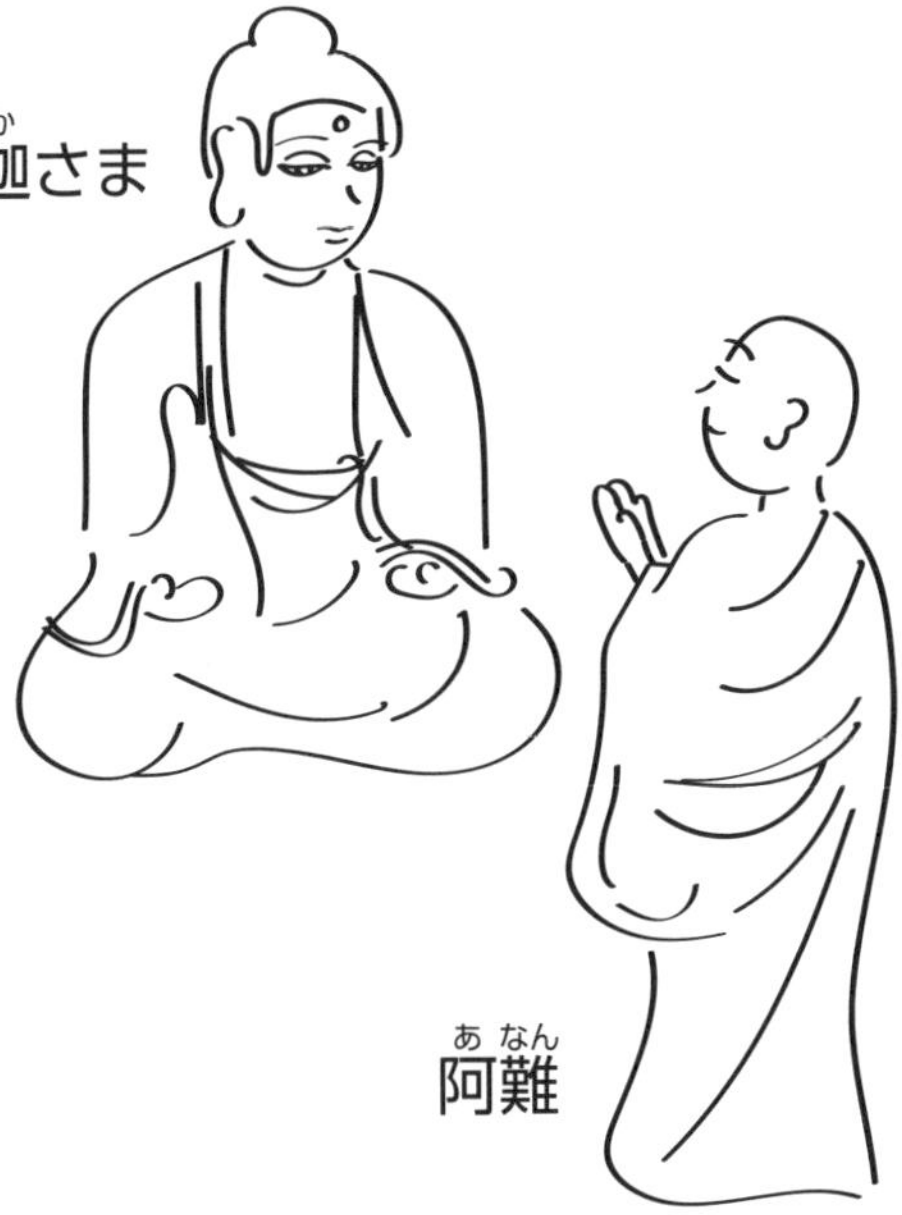

ほとけさまは、とてもやさしい方《かた》です。そのお名前《なまえ》を阿弥陀仏《あみだぶつ》といって、世《よ》の中《なか》に苦《くる》しみ迷《まよ》っている人《ひと》たちを、休《やす》むことなくどんな時《とき》も愛情深《あいじょうぶか》く見《み》まもってくださっています。わたしがこの世《よ》に生《う》まれてきたのは、いかりや悲《かな》しみに苦《くる》しむ人《ひと》たちに、阿弥陀《あみだ》さまのおこころを伝《つた》えたいと思《おも》ったからです。

阿弥陀《あみだ》さまの教《おし》えを聞《き》けるのは、とてもめずらしいことです。例《たと》えるなら、数万年《すうまんねん》に一度《いちど》しかさかない優曇華《うどんげ》の花《はな》を見《み》るのと同《おな》じくらいめずらしいことです。この花《はな》をもし見《み》られたなら、こころが晴《は》れてゆかいになると言《い》われています。阿弥陀《あみだ》さまの教《おし》えを聞《き》くのは、そのようにめったとなく、幸《しあわ》せなことなのです。

阿難《あなん》よ、あなたは今《いま》、ほとけさまのお話《はなし》を聞《き》きたいと、わたしにたずねましたね。とても幸《しあわ》せなことですよ。

阿難《あなん》よ、阿弥陀《あみだ》さまは、たくさんの智慧《ちえ》をお持《も》ちで、どんなことでも知《し》っています。とてもやさしい方《かた》で、いかり、迷《まよ》い、苦《くる》しむすべての人《ひと》たちを救《すく》ってくださいます。そして、わずかひとにぎりのご飯《はん》で、いつまでも寿命《いのち》をつなぎます。そのおすがたは少《すこ》しも変《か》わることなく、いつも、にこやかな笑顔《えがお》をたやされません。

阿難《あなん》よ、わたしはこれからあなたに、阿弥陀《あみだ》さまの物語《ものがたり》をお話《はな》ししましょう。

それはそれは遠《とお》いむかし、錠光如来《じょうこうにょらい》というほとけさまがこの世《よ》にあらわれて、たくさんの人《ひと》たちを救《すく》いました。錠光如来《じょうこうにょらい》がお帰《かえ》りになると、次《つぎ》に光遠如来《こうおんにょらい》というほとけさまが、この世《よ》にあらわれました。その次《つぎ》に月光如来《がっこうにょらい》、その次《つぎ》に栴檀香如来《せんだんこうにょらい》と、五十三《ごじゅうさん》ものほとけさまがかわるがわる、この世《よ》にあらわれました。

五十四番目《ごじゅうよんばんめ》にあらわれたほとけさまが、世自在王如来《せじざいおうにょらい》でした。その時《とき》、ひとりの王《おう》さまが、世自在王如来《せじざいおうにょらい》の教《おし》えを聞《き》き、たいへんよろこび感動《かんどう》しました。自分《じぶん》もほとけさまのようにさとりを開《ひら》きたいと願《ねが》いました。王《おう》さまは、国《くに》や位《くらい》のすべてをすて、ひたすら修行《しゅぎょう》に励《はげ》みました。王《おう》さまは、法蔵《ほうぞう》と名《な》のり、智慧《ちえ》も行《おこな》いも、こころも、すがたも、この世《よ》の中《なか》のだれよりも超《こ》えてすぐれていました。

法蔵菩薩《ほうぞうぼさつ》は、世自在王如来《せじざいおうにょらい》の前《まえ》にひざまずき、手《て》を合《あ》わせて、ほとけさまを讃《たた》えながら、みずからのかたい決意《けつい》を歌《うた》いました。

みほとけさまの　　そのお顔《かお》
世《よ》に超《こ》えすぐれ　　類《たぐい》なく

そのみひかりに　月《つき》も日《ひ》も
みなことごとく　霞《かす》みゆく

みほとけさまの　そのすがた
春《はる》の小川《おがわ》の　水《みず》のよう
さとりの声《こえ》は　おおらかに
いかなる世《よ》にも　ひびきゆく

迷《まよ》いと欲《よく》と　怒《いか》りには
ほとけは永遠《とわ》に　ましまさず
はたらき高《たか》く　広大《こうだい》に
いかなる世《よ》をも　震《ふる》わせる

わたしの願《ねが》いは　みほとけと
智慧慈悲《ちえじひ》ともに　ひとしくて
迷《まよ》える人《ひと》たち　むかえとる
ほとけの国《くに》を　建《た》てること

わたしの願《ねが》い　かなうなら
たとえわが身《み》は　毒《どく》の中《なか》
激《はげ》しい痛《いた》みに　苦《くる》しめど
怯《ひる》まず決《けっ》して　悔《く》いもせず

法蔵菩薩《ほうぞうぼさつ》は、このように歌《うた》を歌《うた》い終《お》わり、世自在王如来《せじざいおうにょらい》に、

「わたしは、こころの底《そこ》から、ほとけになりたいと願《ねが》います。わたしは早《はや》くほとけになって、りっぱな国《くに》をつくり、たくさんの迷《まよ》っている人《ひと》たちのなやみを取《と》りのぞきたいと思《おも》っています。そして、きよらかなほとけの国《くに》に生《う》まれさせたいのです。どうぞ、あなたの不思議《ふしぎ》なお力《ちから》で、ほとけさまの国々《くにぐに》を見《み》せてください。それはきっとすばらしい国《くに》なのでしょう。わたしは、その中《なか》で特《とく》にすぐれたところを選《えら》んで、すばらしい国《くに》をつくりたいと思《おも》います」

と、まごころをこめてお願《ねが》いしました。世自在王如来《せじざいおうにょらい》は、そのかたい決心《けっしん》と勇《いさ》ましいすがたを見《み》て、法蔵菩薩《ほうぞうぼさつ》にこう言《い》いました。

「法蔵菩薩《ほうぞうぼさつ》よ、あなたの決意《けつい》を見《み》ました。ひたすらに、毎日《まいにち》がんばって努力《どりょく》し続《つづ》けたら、きっとりっぱにできることでしょう。広《ひろ》く深《ふか》い大《たい》海《かい》の水《みず》をひとりでくみだして、その底《そこ》にあるたいせつな宝《たから》を探《さが》しだすつもりで、がんばりなさい」

世自在王如来《せじざいおうにょらい》は、不思議《ふしぎ》な力《ちから》で、法蔵菩薩《ほうぞうぼさつ》に、二百十億《にひゃくじゅうおく》というたくさんのほとけさまの国々《くにぐに》を、すみずみまで見《み》せました。

法蔵菩薩《ほうぞうぼさつ》は、たくさん見《み》た国《くに》の中《なか》で、特《とく》にすぐれた場所《ばしょ》を選《えら》び取《と》り、自分《じぶん》の国《くに》をつくるにはどうしたらいいのか、そしてそこにみんなが生《う》まれるにはどうしたらいいのかを、それはそれは長《なが》い間《あいだ》、考《かんが》えたのでした。

法蔵菩薩《ほうぞうぼさつ》が、考《かんが》えていた場所《ばしょ》には、五《いつ》つの大《おお》きな岩《いわ》がありました。その岩《いわ》は、それぞれが大《おお》きな山《やま》のような岩《いわ》でした。法蔵菩薩《ほうぞうぼさつ》が考《かんが》え終《お》わって、すっと立《た》ち上《あ》がると、そこにあったはずの五《いつ》つの岩《いわ》が、いつのまにかなくなっていました。「どうしたことだろう」とあたりを見《み》まわしていると、天《てん》から声《こえ》がしました。

「法蔵菩薩《ほうぞうぼさつ》さま、法蔵菩薩《ほうぞうぼさつ》さま、わたしは天人《てんにん》でございます。あなたは本当《ほんとう》にしんぼう強《づよ》く、とても長《なが》い間《あいだ》、お考《かんが》えになっていましたね。わたしは三年《さんねん》に一度《いちど》ずつ、天《てん》からまいおりて来《き》ていました。そのたびに、あの大《おお》きなかたい岩《いわ》を、わたしのやわらかな羽衣《はごろも》でなでたのです。わたしが何回《なんかい》おりてきても、あなたはいつも、じっと考《かんが》えていらっしゃいました。そのため、あなたがお立《た》ちになるまで、五《いつ》つの大《おお》きな岩《いわ》は、羽衣《はごろも》でなでつくされて、なくなってしまったのです」

世自在王如来《せじざいおうにょらい》も法蔵菩薩《ほうぞうぼさつ》も、考《かんが》えが深《ふか》く長《なが》かったことに驚《おどろ》きました。天《てん》を見《み》あげると、ほとけさまの国々《くにぐに》は見《み》えなくなり、美《うつく》しい羽衣《はごろも》を着《き》た天人《てんにん》が、五色《ごしょく》の雲《くも》に乗《の》って、空高《そらたか》く舞《ま》っていました。

法蔵菩薩《ほうぞうぼさつ》は、世自在王如来《せじざいおうにょらい》にこう言《い》いました。

「わたしは、たくさんのほとけさまの、美《うつく》しい国々《くにぐに》を見《み》せていただきました。わたしのつくりたい国《くに》と、その国《くに》にみんなが生《う》まれるにはどうしたらいいか、長《なが》い間思《あいだおも》いなやみ、やっと考《かんが》えつきました。もし、そうならないことがあれば、わたしは、ほとけにはなりません。どうぞ、わたしが考《かんが》えたことをお聞《き》きください」

そう言《い》うと法蔵菩薩《ほうぞうぼさつ》は、「四十八《しじゅうはち》の願《ねが》い」を、一《ひと》つひとつかみしめるように語《かた》り出《だ》しました。

第一《だいいち》　わたしの国《くに》に生《う》まれたなら、いのちをきずつけ合《あ》い、欲《よく》によってうばい合《あ》い、だれかに支配《しはい》されることのないようにします。

第二《だいに》　わたしの国《くに》に生《う》まれた人《ひと》たちは、いのちをきずつけ合《あ》い、ひとりじめするためにうばい合《あ》い、だれかに支配《しはい》される世《せ》界《かい》にふたたび戻《もど》ることのないようにします。

第三《だいさん》　わたしの国《くに》に生《う》まれた人《ひと》たちは、金色《こんじき》に光《ひか》りかがやくすがたになります。

第四《だいし》　わたしの国《くに》に生《う》まれた人《ひと》たちは、どのようなすがたにもなれ、美《うつく》しいとか、みにくいなどの区別《くべつ》がありません。

第五《だいご》　わたしの国《くに》に生《う》まれた人《ひと》たちは、どんな古《ふる》いむかしの歴史《れきし》も知《し》ることができるようになります。

第六《だいろく》　わたしの国《くに》に生《う》まれた人《ひと》たちの眼《め》は、どんなに遠《とお》くのほとけさまの世界《せかい》も見《み》ることができるようになります。

第七《だいしち》　わたしの国《くに》に生《う》まれた人《ひと》たちの耳《みみ》は、どんなに遠《とお》くのほとけさまの声《こえ》も聞《き》くことができるようになります。

第八《だいはち》
わたしの国《くに》に生《う》まれた人《ひと》たちは、他《ほか》の人《ひと》のこころがわかり、世界《せかい》の人《ひと》びとの本当《ほんとう》の願《ねが》いを知《し》ることができるようになります。

第九《だいく》
わたしの国《くに》に生《う》まれた人《ひと》たちは、不思議《ふしぎ》な力《ちから》を持《も》ち、はるか遠《とお》くの世界《せかい》へ自由《じゆう》にいっしゅんで行《い》けるようになります。

第十《だいじゅう》
わたしの国《くに》に生《う》まれた人《ひと》たちは、自分中心《じぶんちゅうしん》のこころから解放《かいほう》されて、生《い》きられるようになります。

第十一《だいじゅういち》
わたしの国《くに》に生《う》まれた人《ひと》たちは、ほとけのさとりを得《え》ることができます。かならずほとけになることは、人間《にんげん》の世界《せかい》にいるうちに決《き》まるのです。

第十二《だいじゅうに》

わたしは、光《ひかり》に限《かぎ》りがないほとけとなって、どんな遠《とお》いところも照《て》らします。

第十三《だいじゅうさん》

わたしは、寿命《いのち》に限《かぎ》りがないほとけとなって、いつまでも生《い》き続《つづ》けます。

第十四《だいじゅうし》

わたしの国《くに》では、わたしの話《はなし》を聞《き》く弟子《でし》が、数《かぞ》えきれないくらいたくさんになります。

第十五《だいじゅうご》

わたしの国《くに》に生《う》まれた人《ひと》たちは、寿命《いのち》がつきることがないようになります。また、望《のぞ》めば長《なが》くも短《みじか》くも自由《じゆう》にできます。

第十六《だいじゅうろく》

わたしの国《くに》に生《う》まれたなら、聞《き》いて苦《くる》しむ言葉《ことば》がひとつもないようにします。

第十七《だいじゅうしち》

わたしは、あらゆる世界《せかい》の多《おお》くのほとけさまたちが、わたしの名《な》を南無阿弥陀仏《なむあみだぶつ》とほめ讃《たた》えるようにします。

第十八《だいじゅうはち》

わたしは、たとえどんないのちであっても、本願《ほんがん》を信《しん》じて、わたしの国《くに》に生《う》まれたいと思《おも》い、南無阿弥陀仏《なむあみだぶつ》と称《とな》えれば、かならず生《う》まれるようにします。ただし父《ちち》を殺《ころ》したり、母《はは》を殺《ころ》したり、大切《たいせつ》な先生《せんせい》を殺《ころ》したり、仏法《ぶっぽう》を話《はな》す人《ひと》のじゃまをしたり、ほとけさまのからだから血《ち》を出《だ》したりするという、いのちをきずつける五《いつ》つのおそろしい罪《つみ》を犯《おか》す人《ひと》と、ほとけさまの教《おし》えをうたがい、悪《わる》く言《い》う人《ひと》については、その罪《つみ》の重《おも》さを知《し》るまで待《ま》っています。

第十九《だいじゅうく》

わたしは、たとえどんないのちであっても、ほとけになりたいというこころを持《も》って、いろいろな善《よ》いことをして、その力《ちから》でわたしの国《くに》に生《う》まれたいと願《ねが》えば、いのち終《お》わる時《とき》には、かならずたくさんの弟子《でし》たちと目《め》の前《まえ》にあらわれます。

第《だい》二《に》十《じゅう》

わたしは、たとえどんないのちであっても、わたしの名《な》を聞《き》いて、南無阿弥陀仏《なむあみだぶつ》を称《とな》え、その力《ちから》でわたしの国《くに》に生《う》まれたいと願《ねが》えば、いつかかならず願《ねが》いをかなえます。

第《だい》二《に》十《じゅう》一《いち》

わたしの国《くに》に生《う》まれたなら、だれもがみんな、ほとけさまの三十二《さんじゅうに》の特長《とくちょう》をすべてそなえたすがたになります。

第《だい》二《に》十《じゅう》二《に》

どのほとけさまの国《くに》の人《ひと》たちでも、道《みち》を求《もと》める人《ひと》はみんな、わたしの国《くに》に生《う》まれ、かならずほとけになります。また、悲《かな》しみなやむ人《ひと》を救《すく》いたいと願《ねが》う人《ひと》は、わたしの国《くに》からすぐに向《む》かうことができるようになります。

第二十三《だいにじゅうさん》

わたしの国《くに》に生《う》まれたなら、道《みち》を求《もと》める人《ひと》はみんな、ほとけさまにお会《あ》いしたいと思《おも》えば、わずかな時間《じかん》で、数限《かずかぎ》りないほとけさまの国々《くにぐに》すべてに行《い》けるようになります。

第二十四《だいにじゅうし》

わたしの国《くに》に生《う》まれたなら、道《みち》を求《もと》める人《ひと》はみんな、ほとけさまにお会《あ》いして、おそなえしたいと思《おも》えば、どんなものでもおそなえできるようになります。

第二十五《だいにじゅうご》

わたしの国《くに》に生《う》まれたなら、道《みち》を求《もと》める人《ひと》はみんな、広《ひろ》く深《ふか》い智慧《ちえ》をもつことができ、あらゆる人《ひと》に伝《つた》えることができるようになります。

第二十六《だいにじゅうろく》

わたしの国《くに》に生《う》まれたなら、道《みち》を求《もと》める人《ひと》はみんな、りっぱなからだになります。

第二十七《だいにじゅうしち》

わたしの国《くに》に生《う》まれたなら、すべてのものはとてもきよらかで美《うつく》しく、だれもがみんな、なにひとつ不自由《ふじゆう》なく、満《み》ち足《た》りるようにします。どれもたいへん美《うつく》しく、種類《しゅるい》も多《おお》く数《かぞ》えきれないほどです。

第二十八《だいにじゅうはち》

わたしの国《くに》に生《う》まれたなら、道《みち》を求《もと》める人《ひと》はみんな、善《よ》いことを少《すこ》ししかできなかったとしても、光《ひか》りかがやく広大《こうだい》な道場樹《どうじょうじゅ》を見《み》ることができるようになります。

第《だい》二《に》十《じゅう》九《く》

わたしの国《くに》に生《う》まれたなら、道《みち》を求《もと》める人《ひと》はみんな、ほとけさまの教《おし》えをよく覚《おぼ》えて、話《はな》して聞《き》かせることができるようになります。

第《だい》三《さん》十《じゅう》

わたしの国《くに》に生《う》まれたなら、道《みち》を求《もと》める人《ひと》はみんな、ほとけさまの教《おし》えを自由自在《じゆうじざい》に話《はな》して聞《き》かせることができるようになります。

第《だい》三《さん》十一《じゅういち》

わたしの国《くに》は、きよらかで、さまざまなほとけさまの世界《せかい》をはっきりと見《み》ることができるようにします。

第《だい》三《さん》十《じゅう》二《に》

わたしの国《くに》は、あらゆる物《もの》がそれぞれにかがやきながら薫《かお》り、調和《ちょうわ》し、すべての世界《せかい》に満《み》ちるようにします。その薫《かお》りを聞《き》くと、道《みち》を求《もと》める人《ひと》はみんな、目覚《めざ》め、ほとけさまの道《みち》を歩《あゆ》むことができるようになります。

第三十三《だいさんじゅうさん》

わたしの光《ひかり》に照《て》らされ、その光《ひかり》にふれるなら、だれもがみんな、身《み》もこころもやわらぎ、自在《じざい》で自由《じゆう》になります。

第三十四《だいさんじゅうし》

わたしの名《な》、南無阿弥陀仏《なむあみだぶつ》を聞《き》いたなら、だれもがみんな、本当《ほんとう》に大切《たいせつ》なことをさとり、いつまでも忘《わす》れないようになります。

第三十五《だいさんじゅうご》

わたしの名《な》、南無阿弥陀仏《なむあみだぶつ》を聞《き》いて、信《しん》じよろこび、ほとけになりたいというこころを持《も》つ女性《じょせい》がいたなら、かならずわたしの国《くに》に生《う》まれます。そしてどんな性《せい》であっても、差別《さべつ》されることのないようにします。

第三十六《だいさんじゅうろく》

わたしの名《な》、南無阿弥陀仏《なむあみだぶつ》を聞《き》いたなら、道《みち》を求《もと》める人《ひと》はみんな、いのち終《お》わったあと、毎日《まいにち》きよらかな修行《しゅぎょう》をして、最後《さいご》には、ほとけになります。

第三十七《だいさんじゅうしち》

わたしの名《な》、南無阿弥陀仏《なむあみだぶつ》を聞《き》いたなら、だれもがみんな、全身《ぜんしん》でうやまい、感動《かんどう》して、仏道《ぶつどう》を歩《あゆ》めるようになります。このすがたは、周《まわ》りの人《ひと》たちに本当《ほんとう》に大切《たいせつ》なことを気《き》づかせるでしょう。

第三十八《だいさんじゅうはち》

わたしの国《くに》に生《う》まれたなら、だれもがみんな、衣服《いふく》を着《き》たいと思《おも》えば、どんな衣服《いふく》でもこころのままに目《め》の前《まえ》に出《で》てきます。そして、ほとけさまの教《おし》えにふさわしい衣服《いふく》を自《し》然《ぜん》に身《み》につけることができます。また、だれもがその衣服《いふく》を、ぬうことも、そめることも、せんたくすることも必要《ひつよう》のないようにします。

第三十九《だいさんじゅうく》

わたしの国《くに》に生《う》まれたなら、だれもがみんな、ほとけさまのように、ほがらかでここちよく、少《すこ》しもふゆかいなことのないようになります。

第四十《だいしじゅう》

わたしの国《くに》に生《う》まれたなら、道《みち》を求《もと》める人《ひと》はみんな、どんなほとけさまの国《くに》であっても、見《み》たい時《とき》に、宝《たから》の樹々《きぎ》の中《なか》にはっきりと見《み》ることができるようになります。

第四十一《だいしじゅういち》

どこの国《くに》の人《ひと》たちでも、道《みち》を求《もと》める人《ひと》はみんな、わたしの名《な》、南無阿弥陀仏《なむあみだぶつ》を聞《き》いたなら、ほとけとなるまでに、自《じ》分自身《ぶんじしん》に不足《ふそく》のないようになります。

第四十二《だいしじゅうに》

どこの国《くに》の人《ひと》たちでも、道《みち》を求《もと》める人《ひと》はみんな、わたしの名《な》、南無阿弥陀仏《なむあみだぶつ》を聞《き》いたなら、迷《まよ》っていたこころがおだやかになります。ひとたび願《ねが》えば、どんなに多《おお》くのほとけさまでも、大事《だいじ》にすることができ、こころがはげしくゆれ動《うご》くことのないようにします。

第四十三《だいしじゅうさん》

どこの国《くに》の人《ひと》たちでも、道《みち》を求《もと》める人《ひと》はみんな、わたしの名《な》、南無阿弥陀仏《なむあみだぶつ》を聞《き》いたなら、そのいのちが終《お》わった後《あと》、本当《ほんとう》に尊《とうと》い家《いえ》に生《う》まれるようにします。

第四十四《だいしじゅうし》

どこの国《くに》の人《ひと》たちでも、道《みち》を求《もと》める人《ひと》はみんな、わたしの名《な》、南無阿弥陀仏《なむあみだぶつ》を聞《き》いたなら、おどりだすほどよろこびがわきあがり、ほとけさまの教《おし》えに生《い》きることがはじまるようにします。

第四十五《だいしじゅうご》

どこの国《くに》の人《ひと》たちでも、道《みち》を求《もと》める人《ひと》はみんな、わたしの名《な》、南無阿弥陀仏《なむあみだぶつ》を聞《き》いたなら、数《かぞ》えきれないたくさんのほとけさまのおこころでも、いっしゅんにして思《おも》いうかべられるようにします。

第《だい》四《し》十六《じゅうろく》

わたしの国《くに》に生《う》まれたなら、道《みち》を求《もと》める人《ひと》はみんな、自分《じぶん》が聞《き》きたいと願《ねが》うほとけさまの教《おし》えは、いつでも、自然《しぜん》に聞《き》けるようにします。

第《だい》四《し》十七《じゅうしち》

どこの国《くに》の人《ひと》たちでも、道《みち》を求《もと》める人《ひと》はみんな、わたしの名《な》、南無阿弥陀仏《なむあみだぶつ》を聞《き》いたなら、もう二度《にど》と迷《まよ》わないようにします。

第《だい》四《し》十八《じゅうはち》

どこの国《くに》の人《ひと》たちでも、道《みち》を求《もと》める人《ひと》はみんな、わたしの名《な》、南無阿弥陀仏《なむあみだぶつ》を聞《き》いたなら、本当《ほんとう》に大切《たいせつ》なことに耳《みみ》を澄《す》まし、じっくりと考《かんが》え、歩《あゆ》んでいき、決《けっ》して後《あと》もどりすることのないようにします。

法蔵菩薩《ほうぞうぼさつ》は、この四十八《しじゅうはち》の願《ねが》いを語《かた》り、そして、次《つぎ》のように歌《うた》いました。

わたしの願《ねが》い　世《よ》を超《こ》えて
かならずさとりの　道《みち》を得《え》ん
もしこの願《ねが》い　叶《かな》わずは
誓《ちか》う、ほとけに　成《な》らないと

わたしは永遠《とわ》に　かぎりなく

すべてを与《あた》える　者《もの》となり
弱《よわ》き人《ひと》たち　済《すく》わずは
誓《ちか》う、ほとけに　成《な》らないと

わたしはほとけの　さとり得《え》て
名《な》となり、世界《せかい》に　ひびかせん
その名《な》を聞《き》けぬ　人《ひと》在《あ》らば
誓《ちか》う、ほとけに　成《な》らないと

もし、この願《ねが》い　果《は》たせたら
あらゆるいのち　感動《かんどう》せん
空《そら》にまします　天人《てんにん》よ

妙《たえ》なる華《はな》の　雨降《あめふ》らせ

法蔵菩薩《ほうぞうぼさつ》がこの歌《うた》を歌《うた》い終《お》わるか終《お》わらないかのうちに、大地《だいち》はうなり、ごう音《おん》をひびかせふるえ、天《てん》から美《うつく》しい花《はな》が大地《だいち》にふってきました。そして、空《そら》からほめ讃《たた》える音楽《おんがく》が聞《き》こえ、

「法蔵菩薩《ほうぞうぼさつ》さま、あなたさまは、すばらしく尊《とうと》いほとけさまになることができるでしょう」

とひびきわたりました。

法蔵菩薩《ほうぞうぼさつ》は、四十八《しじゅうはち》の誓《ちか》いを果《は》たし、ほとけになろうと強《つよ》く決意《けつい》しました。

それからというもの、法蔵菩薩《ほうぞうぼさつ》は、誓《ちか》いのとおり、ほとけの国《くに》づくりにかかりました。その国《くに》は、とても広《ひろ》く、他《ほか》と比《くら》べられないほどりっぱで、おとろえることも変《か》わることもない国《くに》です。

そのような国《くに》をつくろうと考《かんが》えた法蔵菩薩《ほうぞうぼさつ》は、りっぱな国《くに》ができるようにと願《ねが》い、永遠《えいえん》と思《おも》われるような長《なが》い間《あいだ》の修行《しゅぎょう》をはじめました。

法蔵菩薩《ほうぞうぼさつ》は、まず自分《じぶん》の、欲《よく》ばったり、おこったり、人《ひと》をきずつけたりするこころに気《き》づきました。次《つぎ》に、目《め》に見《み》るもの、耳《みみ》に聞《き》くもの、鼻《はな》にかぐもの、舌《した》で味《あじ》わうもの、身《み》にふれるものすべてが、頭《あたま》からはなれずに苦《くる》しむことに気《き》づきました。そしてそのことに向《む》き合《あ》い、こころが動《うご》かないようにたいへんな修行《しゅぎょう》を行《おこな》いました。

また、忍耐《にんたい》の力《ちから》を養《やしな》って、どんな苦《くる》しみにも動《どう》ようせず、ないものを求《もと》めず、あるもので満足《まんぞく》することを知《し》って、むさぼることや、おこること、ぐちを言《い》うことがなく、いつも静《しず》かで智慧《ちえ》が自由自在《じゆうじざい》にはたらくというこころを養《やしな》いました。さらに、うそをついたり、人《ひと》にこびたりするこころが少《すこ》しもないようにしました。やわらかな表情《ひょうじょう》と思《おも》いやりのある言葉《ことば》で語《かた》り、人《ひと》のこころを受《う》け止《と》めて、勇気《ゆうき》をもってひたすらにはげみ、少《すこ》しも休《やす》むことなく、まっすぐに真理《しんり》を求《もと》め、迷《まよ》っている人《ひと》たちを目覚《めざ》めさせました。

そして法蔵菩薩《ほうぞうぼさつ》は、たくさんのほとけさま方《がた》や、その教《おし》えと教《おし》えを信《しん》じている人《ひと》びとをうやまい、先《さき》にその道《みち》を歩《あゆ》んでいる方《かた》を大切《たいせつ》にし、善《よ》い行《おこな》いをたくさん積《つ》み重《かさ》ねました。そのすがたは、迷《まよ》っている人《ひと》びとを歩《あゆ》みださせました。

それから法蔵菩薩《ほうぞうぼさつ》は、らんぼうな言葉《ことば》や、自分《じぶん》をきずつけたり他人《ひと》をきずつけたりするような言葉《ことば》を使《つか》わないようにしました。そして自《じ》分《ぶん》にも他人《ひと》にもめぐみとなる言葉《ことば》を学《まな》びました。

法蔵菩薩《ほうぞうぼさつ》は、このようにこころにも身《み》にも言葉《ことば》にも、深《ふか》いうやまいをもって、六《むっ》つのむずかしい修行《しゅぎょう》をしました。一《ひと》つ目《め》は、どんなものも人《ひと》におしみなくあたえる布施《ふせ》の行《ぎょう》。二《ふた》つ目《め》は、どんなにきびしくても誓《ちか》いをまもる持戒《じかい》の行《ぎょう》。三《みっ》つ目《め》は、どんなに苦《くる》しいことにもたえ忍《しの》ぶ忍辱《にんにく》の行《ぎょう》。四《よっ》つ目《め》は、どんなにつらくてもひたすらはげむ精進《しょうじん》の行《ぎょう》。五《いつ》つ目《め》は、どんなことがあってもこころの静《しず》けさを保《たも》つ禅定《ぜんじょう》の行《ぎょう》。六《むっ》つ目《め》は、どんなことでも知《し》りつくそうとたずねていく智慧《ちえ》の行《ぎょう》です。

そして、人《ひと》にもこれを修《おさ》めさせ、数《かぞ》えきれないほどの長《なが》い間《あいだ》、善《よ》い行《おこな》いを積《つ》み重《かさ》ねました。

それからまた、ありとあらゆる経験《けいけん》と苦労《くろう》をし、法蔵菩薩《ほうぞうぼさつ》はどんな人《ひと》の立場《たちば》にもなることができるようになりました。たくさんの人《ひと》びとに教《おし》えを伝《つた》え、安心《あんしん》させて、迷《まよ》いからはなれさせました。

ある時《とき》はお金持《かねも》ちとなり、ある時《とき》はふつうの人間《にんげん》となり、またある時《とき》は高貴《こうき》な家《いえ》に生《う》まれ、またある時《とき》は王《おう》さまとなり、またある時《とき》は天《てん》上界《じょうかい》の王《おう》さまにもなりました。このようにして、いろいろな身《み》の上《うえ》に生《う》まれ変《か》わっては、どんなに苦《くる》しいことにも耐《た》え忍《しの》びました。いろいろな善《よ》い行《おこな》いを積《つ》み重《かさ》ねた法蔵菩薩《ほうぞうぼさつ》のその功徳《くどく》ははかりしれません。

法蔵菩薩《ほうぞうぼさつ》はとても気高《けだか》く、口《くち》の中《なか》からは、まるで青《あお》い蓮《はす》の花《はな》のようなきよらかな香《かお》りがします。また、全身《ぜんしん》の毛穴《けあな》からは、栴檀《せんだん》の木《き》のようなよい香《かお》りがして、たくさんの国《くに》にその香《かお》りが行《い》きわたりました。顔《かお》は整《ととの》い、すがたは美《うつく》しいものでした。手《て》からは、着物《きもの》や食《た》べ物《もの》、花《はな》、よい香《かお》りのもの、ほとけさまの国《くに》のかざりなど、どんな宝物《たからもの》でも出《だ》すことができました。

このようにして、法蔵菩薩《ほうぞうぼさつ》は、すべてにおいて自由自在《じゆうじざい》の力《ちから》を得《え》たのです。

お釈迦《しゃか》さまが、法蔵菩薩《ほうぞうぼさつ》の四十八《しじゅうはち》の願《ねが》いと、果《は》てしなく長《なが》い間《あいだ》の修《しゅ》行《ぎょう》のことを話《はな》すと、それをじっと聞《き》いていた阿難《あなん》は、お釈迦《しゃか》さまにこうたずねました。

「その法蔵菩薩《ほうぞうぼさつ》さまは、すでにほとけさまになっていらっしゃるのでしょうか。それとも、まだほとけさまにならず修行《しゅぎょう》していらっしゃるのでしょうか。今《いま》、どこかにおられるのでしょうか」

すると、お釈迦《しゃか》さまは、

法蔵菩薩《ほうぞうぼさつ》は、今《いま》すでにほとけさまとなって、ここから西《にし》の方《ほう》におられます。ここから十万億《じゅうまんおく》というたくさんの国《くに》を過《す》ぎたその向《む》こうの国《くに》です。そこでほとけさまとなって、阿弥陀仏《あみだぶつ》という名《な》を名《な》のっておられます。その世界《せかい》を浄土《じょうど》と言《い》います。

と話《はな》しました。

阿難《あなん》は、またたずねました。

「それでは、法蔵菩薩《ほうぞうぼさつ》さまが阿弥陀仏《あみだぶつ》というほとけさまになられてから、今《いま》までに、どれほどの時間《じかん》が経《た》っているのでしょうか」

お釈迦《しゃか》さまは、こう答《こた》えました。

法蔵菩薩《ほうぞうぼさつ》がほとけさまになられてから経《た》った時間《じかん》は、五年《ごねん》や十年《じゅうねん》、百年《ひゃくねん》や千年《せんねん》、一万年《いちまんねん》などというものではありません。それは十劫《じっこう》という果《は》てしなく長《なが》い時間《じかん》です。まず一劫《いっこう》という時間《じかん》は、高《たか》さと四方《しほう》がそれぞれ四十里《よんじゅうり》*ほどもある大《おお》きな城《しろ》の中《なか》に、ゴマ粒《つぶ》より小《ちい》さい芥子《けし》の実《み》をいっぱい入《い》れておいて、三年《さんねん》に一度《いちど》、一粒《ひとつぶ》ずつ取《と》り出《だ》して、その城《しろ》いっぱいの芥子《けし》の実《み》がすっかりなくなってしまうほどの時間《じかん》です。十《じっ》劫《こう》といえばその十倍《じゅうばい》ですから、それはそれは果《は》てしなく長《なが》い時間《じかん》です。そんなむかしに、法蔵菩薩《ほうぞうぼさつ》は阿弥陀仏《あみだぶつ》になって、その時《とき》から、迷《まよ》っている人《ひと》を救《すく》っておられるのです。

それからお釈迦《しゃか》さまは、阿弥陀《あみだ》さまの浄土《じょうど》のすがたを次《つぎ》のように話《はな》しました。

阿弥陀《あみだ》さまの国《くに》である浄土《じょうど》の大地《だいち》は、金《きん》や銀《ぎん》や珊瑚《さんご》や瑪瑙石《めのうせき》などのみごとな宝《たから》からできあがっており、見《み》わたすかぎり果《は》てしなく、広々《ひろびろ》としています。その宝《たから》は、それぞれおたがいをかがやかし、色《いろ》と色《いろ》がうつり混《ま》じり合《あ》い、まばゆいほど光《ひか》っています。その美《うつく》しさ、きよらかさは他《ほか》のものと比《くら》べようがありません。

浄土《じょうど》には、険《けわ》しい山《やま》や大《おお》きな海《うみ》もなく、谷《たに》もみぞも井戸《いど》もありません。しかし、見《み》たいと思《おも》えばすぐに目《め》の前《まえ》にあらわれてきます。そし

＊里《り》　距離《きょり》の単位《たんい》。1中国里《ちゅうごくり》は約《やく》600メートル。

て、地獄《じごく》・餓鬼《がき》・畜生《ちくしょう》と言《い》われる、だれもがみんなきずつけ、うばい合《あ》い、他人《ひと》の思《おも》いどおりにさせられる悪《わる》い世界《せかい》もありません。また、春夏秋冬《しゅんかしゅうとう》の四季《しき》の区別《くべつ》もないので、寒《さむ》くもなく暑《あつ》くもなく、いつも気《き》候《こう》がおだやかで、ここちよいです。

浄土《じょうど》の阿弥陀《あみだ》さまの光明《こうみょう》は、数《かず》あるほとけさまの光《ひかり》の中《なか》でも、最《もっと》も尊《とうと》い光《ひかり》です。その光明《こうみょう》は量《はか》ることができませんから、阿弥陀《あみだ》さまのことを、無量光仏《むりょうこうぶつ》と言《い》います。また、その光明《こうみょう》はどこまでも果《は》てしなく、はしっこがないので無辺光仏《むへんこうぶつ》と言《い》います。ならぶものがない光《ひかり》なので無対光仏《むたいこうぶつ》と言《い》います。光《ひかり》の中《なか》の王《おう》さまですから炎王光仏《えんのうこうぶつ》と言《い》います。その光明《こうみょう》はよろこびに満《み》ちきよらかな光《ひかり》なので清浄光仏《しょうじょうこうぶつ》と言《い》います。その光明《こうみょう》はよろこびに満《み》ちているので歓喜光仏《かんぎこうぶつ》と言《い》います。智慧《ちえ》から出《で》る光《ひかり》ですから智慧光仏《ちえこうぶつ》と言《い》います。その光明《こうみょう》はいつまでもとだえることがありませんから不断《ふだん》光仏《こうぶつ》と言《い》います。思《おも》うこともできないほどの不思議《ふしぎ》な光《ひかり》ですから難思《なんし》光仏《こうぶつ》と言《い》います。言葉《ことば》では言《い》いようのない光明《こうみょう》ですから無称光仏《むしょうこうぶつ》と言《い》います。その光明《こうみょう》は月《つき》や日《ひ》の光《ひかり》に勝《まさ》っておられるので超日月光仏《ちょうにちがっこうぶつ》と言《い》います。

このようなすぐれた光明《こうみょう》を見《み》ることができた人《ひと》は、身《み》もこころもやわらぎ、よろこびは胸《むね》に満《み》ち、善《よ》いこころが起《お》こってきます。もし、地獄《じごく》や、餓鬼《がき》や、畜生《ちくしょう》のような苦《くる》しみの中《なか》にいる人《ひと》が、この光明《こうみょう》を見《み》れば、だれもがみんな安《やす》らかになって、苦《くる》しみもなやみもなくなり、そのいのちが終《お》われば迷《まよ》いをはなれることができるのです。

本当《ほんとう》に阿弥陀《あみだ》さまの光明《こうみょう》は、あらゆるほとけさまたちの国々《くにぐに》にかがやきわたって、その功徳《くどく》の聞《き》こえないところはありません。ただわたし一人《ひとり》だけが、その光明《こうみょう》をほめ讃《たた》えているばかりでなく、あらゆるほとけさまたちも、お弟子《でし》たちも、みんなともにほめ讃《たた》えておられるのです。

どんな人《ひと》でも、その光明《こうみょう》のすぐれたはたらきを聞《き》いて、その尊《とうと》さをほめ讃《たた》えて、阿弥陀《あみだ》さまを信《しん》じるこころを失《うしな》わなければ、だれでもその人《ひと》の願《ねが》いどおりに浄土《じょうど》へ生《う》まれて、阿弥陀《あみだ》さまと同《おな》じ光明《こうみょう》の身《み》となることができます。わたしが今《いま》、阿弥陀《あみだ》さまの光明《こうみょう》をほめ讃《たた》えているように、あらゆるほとけさまが浄土《じょうど》に生《う》まれた人《ひと》の光明《こうみょう》をほめ讃《たた》えます。

本当《ほんとう》に阿弥陀《あみだ》さまの光明《こうみょう》の尊《とうと》さは、長《なが》い間《あいだ》、夜昼《よるひる》なしにお話《はな》ししてもお話《はな》ししつくすことができません。

阿弥陀《あみだ》さまの寿命《いのち》は、それはそれは長《なが》く、とても数《かぞ》えることができません。それは、今《いま》ここにすべての世界《せかい》のあらゆるいのちあるものが人《ひと》に生《う》まれて、ほとけさまのお弟子《でし》ほどの智慧《ちえ》をそなえて、思《おも》いをしずめ、こころを一《ひと》つにして智慧《ちえ》をしぼって、何億万年《なんおくまんねん》にわたって計算《けいさん》しても、阿弥陀《あみだ》さまの寿命《いのち》の長《なが》さは、とても数《かぞ》えられるものではありません。

そして、阿弥陀《あみだ》さまの浄土《じょうど》に生《う》まれた人《ひと》の寿命《いのち》も、阿弥陀《あみだ》さまと同《おな》じように長《なが》くて、とても数《かぞ》えられません。

浄土《じょうど》で、法蔵菩薩《ほうぞうぼさつ》が阿弥陀仏《あみだぶつ》になられて初《はじ》めてのお説法《せっぽう》の場《ば》には、想像《そうぞう》もできないほどの大勢《おおぜい》の弟子《でし》が集《あつ》まりました。その人数《にんずう》は、目連《もくれん》のように神通力《じんずうりき》を持《も》っている人《ひと》たちがたくさん集《あつ》まって、とても長《なが》い間数《あいだかぞ》えても、ほんのわずかしか数《かぞ》えられません。数《かぞ》えることができた数《かず》は、たとえば毛《け》の先《さき》についているひとしずくの水《みず》くらいのもので、まだ数《かぞ》えられていない数《かず》は、大《おお》きな海《うみ》の水《みず》くらい多《おお》いのです。

阿弥陀《あみだ》さまの国《くに》には、金《きん》の樹《き》、銀《ぎん》の樹《き》、瑠璃石《るりいし》の樹《き》、水晶《すいしょう》の樹《き》、珊《さん》瑚《ご》の樹《き》、瑪瑙《めのう》という宝石《ほうせき》の樹《き》、硨磲貝《しゃこがい》の樹《き》という七種《ななしゅ》の宝《たから》の樹《き》がいっぱいあります。金《きん》の樹《き》には銀《ぎん》の花《はな》の実《み》がついています。銀《ぎん》の樹《き》には金《きん》の葉《は》と実《み》がついています。それから、幹《みき》は金《きん》でできていて、茎《くき》は銀《ぎん》で、枝《えだ》は瑠璃《るり》という宝石《ほうせき》で、小枝《こえだ》は水晶《すいしょう》で、葉《は》は珊瑚《さんご》で、花《はな》は碼碯《めのう》で、実《み》は硨磲貝《しゃこがい》でできている宝《たから》の樹《き》もあります。あるいは幹《みき》が銀《ぎん》だったり珊《さん》瑚《ご》だったり、七種《ななしゅ》の宝《たから》がたがいに組《く》み合《あ》わさり、いろいろな宝《たから》の樹《き》ができています。これらのたくさんの樹《き》が、順序《じゅんじょ》よくならんで、茎《くき》と茎《くき》がそろい合《あ》い、枝《えだ》と枝《えだ》がならび、葉《は》と葉《は》が向《む》かい合《あ》い、花《はな》と花《はな》がさきほこり合《あ》い、実《み》と実《み》とがつり合《あ》い、たがいに照《て》りかがやいているようすは、まばゆくて、目《め》を上《あ》げて見《み》ることもできないほどです。そこへやわらかな風《かぜ》がふいてくると、枝《えだ》や花《はな》がふれあって、チリンカラン、チリンカランとひびき合《あ》い、美《うつく》しい音楽《おんがく》となるのです。

また阿弥陀《あみだ》さまのおられる所《ところ》には、道場樹《どうじょうじゅ》と名《な》づけられた大《おお》きな樹《き》が一本《いっぽん》あります。その樹《き》は、高《たか》さ四百万里《よんひゃくまんり》、幹《みき》のまわり二千里《にせんり》、枝《えだ》や葉《は》は二十万里《にじゅうまんり》四方《しほう》に広《ひろ》がっています。その樹《き》は、いろいろな宝の組《く》み合《あ》わせからできあがっていて、枝《えだ》の先《さき》には、瓔珞《ようらく》と呼《よ》ばれる宝《たから》のかざりが垂《た》れていて、さまざまな光《ひかり》が照《て》りかがやいています。そのようすは、なんとも言《い》いようがないほど美《うつく》しいのです。そこへ風《かぜ》がかすかにふいてきて、枝《えだ》や葉《は》をゆすると、それはそれは美《うつく》しい音《おと》がし、自然《しぜん》に教《おし》えを伝《つた》えます。教《おし》えの声《こえ》は、あらゆるほとけさまの国《くに》に行《い》きわたります。この声《こえ》を聞《き》く人《ひと》は、本当《ほんとう》に大切《たいせつ》なことを知《し》り、生《い》きることがはじまります。そうすると、耳《みみ》はきよくすみきって、世《よ》の苦《くる》しみにあうことがありません。この樹《き》を見《み》る人《ひと》は、仏道《ぶつどう》を歩《あゆ》み、もう二度《にど》と迷《まよ》わない身《み》となるのです。こうした功徳《くどく》があるのは、阿弥陀仏《あみだぶつ》が法蔵菩薩《ほうぞうぼさつ》であった時《とき》の、本《もと》の願《ねが》いの力《ちから》によるのです。

それから、浄土《じょうど》では、ほとけさまの教《おし》えを語《かた》る声《こえ》が、自然《しぜん》に音楽《おんがく》となって聞《き》こえます。その声《こえ》はきよくのどかであり、ほがらかで、あらゆる世界《せかい》の音楽《おんがく》の中《なか》で一番《いちばん》すぐれています。

また、浄土《じょうど》の宮殿《きゅうでん》はみんな、七種《ななしゅ》の宝《たから》でかざられ、いろいろな宝《たから》をつなぎあわせた美《うつく》しい幕《まく》が張《は》られています。

その宮殿《きゅうでん》の右《みぎ》にも左《ひだり》にも、たくさんの美《うつく》しい池《いけ》があります。その大《おお》きさは、四百里《よんひゃくり》のもの、八百里《はっぴゃくり》のもの、それから千二百里《せんにひゃくり》のものから、四百万里《よんひゃくまんり》のものまであって、形《かたち》はたても横《よこ》も深《ふか》さもそれぞれよくつり合《あ》っています。池《いけ》の中《なか》には、八《やっ》つのはたらきをそなえた水《みず》がなみなみと満《み》ちていて、その水《みず》はきよらかでとてもよい香《かお》りがし、甘《あま》くておいしい味《あじ》がします。金《きん》の水《みず》の池《いけ》には、銀《ぎん》のすなが底《そこ》にあり、銀《ぎん》の池《いけ》には、金《きん》のすなが底《そこ》にあります。水晶《すいしょう》の池《いけ》には、瑠璃《るり》のすなが底《そこ》にあります。池《いけ》の岸《きし》には、栴檀《せんだん》の樹《き》があり、その葉《は》や花《はな》のよい香《かお》りは、言葉《ことば》にはあらわせないほどで、どこまでも香《かお》りが広《ひろ》がっています。池《いけ》には青《あお》や赤《あか》、黄色《きいろ》や白《しろ》の蓮《はす》の花《はな》がさき、美《うつく》しく水面《みなも》に広《ひろ》がっています。浄土《じょうど》に生《う》まれた人《ひと》たちが、その池《いけ》の中《なか》に入《はい》って、遊《あそ》んでいます。その人《ひと》たちが、もし池《いけ》の水《みず》を足《あし》までひたそうと思《おも》えば、水《みず》はすぐに足《あし》までできます。ひざまでと思《おも》えばひざまで、こしまでと思《おも》えばこしまで、首《くび》までと思《おも》えば、首《くび》までくるのです。全身《ぜんしん》に浴《あ》びたいと思《おも》えば、自然《しぜん》に全身《ぜんしん》にそそがれます。水《みず》を元《もと》どおりにしたいと思《おも》えば、すぐにそうなります。水《みず》は冷《つめ》たさも、あたたかさもほどよく、ここちよいのです。この池《いけ》の水《みず》にはこころを解放《かいほう》し、からだをよろこばせるはたらきがあります。水《みず》浴《あ》びをすると、こころのあかはきれいにあらい流《なが》されるのです。その水《みず》はきよくどこまでもすんでいて、あるかないかわからないほどです。さざ波《なみ》が静《しず》かにゆれ動《うご》いて、おそくもなく、はやくもなく、時々《ときどき》いろいろな波《なみ》が立《た》って、それが天然《てんねん》の音楽《おんがく》となって美《うつく》しい声《こえ》がします。その声《こえ》はみんな、ほとけさまのしずかなさとりのお徳《とく》を歌《うた》っているのです。その声《こえ》を聞《き》く人《ひと》のこころには、限《かぎ》りないよろこびが起《お》きてきます。少《すこ》しも苦《くる》しみの声《こえ》はなく、楽《たの》しい声《こえ》ばかりですから、このほとけさまの国《くに》、浄土《じょうど》を「安楽《あんらく》」ともいうのです。

浄土《じょうど》に生《う》まれた人《ひと》は、何《なに》か食《た》べたいと思《おも》えば、美《うつく》しい宝《たから》でつくった食器《しょっき》が前《まえ》にあらわれて、その中《なか》に百味《ひゃくみ》の食《た》べものがいっぱいになっています。実際《じっさい》に食《た》べなくても、色《いろ》を見《み》て、香《かお》りをかぐだけで、食《た》べた時《とき》と同《おな》じこころになります。自然《しぜん》におなかが満《み》たされ、身《み》もこころも安《やす》らかになったあとは、食器《しょっき》は自然《しぜん》に消《き》えてしまいます。

そして、すぐれた智慧《ちえ》によってものごとをはっきりと見《み》とおし、みんな同《おな》じように、さとりの真理《しんり》に応《おう》じたからだとなります。そのすがたは尊《とうと》いです。着《き》るものも、いるところも、まばゆいほどの美《うつく》しい宝《たから》でできています。

また、ここちよい風《かぜ》がそよそよと花《はな》をふきちらし、大地《だいち》いっぱいになります。ちった花《はな》は、やわらかく、つやがあり、たいへんよい香《かお》りがします。足《あし》でその上《うえ》をふむと少《すこ》し沈《しず》み、足《あし》をあげるとすぐもとのようになります。花《はな》は役《やく》わりを終《お》えると、大地《だいち》がさけ、次《つぎ》つぎとその中《なか》に入《はい》り、一《ひと》つ残《のこ》らずきれいになくなってしまいます。

また、いろいろな宝《たから》からできている蓮《はす》の花《はな》が、浄土《じょうど》のいたるところにさいています。一《ひと》つひとつの蓮《はす》の花《はな》には百千億《ひゃくせんおく》もの葉《は》があります。

その花《はな》には、たくさんの色《いろ》があって、青《あお》い色《いろ》には青《あお》い光《ひかり》があり、白《しろ》い色《いろ》には白《しろ》い光《ひかり》があります。黒《くろ》、黄《き》、赤《あか》、むらさきなどの色《いろ》にも、それぞれの光《ひかり》があります。その光《ひか》りかがやくようすは、月《つき》や日《ひ》よりも明《あか》るいのです。そればかりでなく、一《ひと》つひとつの花《はな》の中《なか》から三十六百千億《さんじゅうろっぴゃくせんおく》のほとけさまが、お出《で》ましになります。そのほとけさまのおからだは金色《こんじき》で、おすがたは、たいへんにすぐれておられます。これらのほとけさまは、またそれぞれ百千《ひゃくせん》の光明《こうみょう》をお放《はな》ちになって、あらゆる世界《せかい》の迷《まよ》っている人《ひと》のために、とてもすぐれた教《おし》えをお話《はな》しになります。迷《まよ》っている一人《ひとり》ひとりを、ほとけさまの正《ただ》しい道《みち》に立《た》たせてくださっているのです。

さらにお釈迦《しゃか》さまは、お話《はなし》を続《つづ》けました。

阿難《あなん》よ、この阿弥陀《あみだ》さまの国《くに》、浄土《じょうど》に生《う》まれる人《ひと》たちはみんながみんな、かならずほとけさまになることが、この世《よ》にいる間《あいだ》に決《き》まった人《ひと》ばかりです。なぜならその国《くに》には、自分《じぶん》の考《かんが》えしか信《しん》じないような人《ひと》や、ほとけさまになれるかなれないか決《き》まってない人《ひと》は、一人《ひとり》もいないからです。それでは、ほとけさまになることがこの世《よ》で決《き》まるには、どうしたらよいのでしょうか。あらゆる世界《せかい》におられる、大《おお》きなガンジス川《がわ》のすなのつぶほどたくさんのほとけさま方《がた》や、ほとけさまを信《しん》じた人《ひと》たちが、いっしょに阿弥陀《あみだ》さまの本願《ほんがん》の不可思議《ふかしぎ》なはたらきをほめ讃《たた》えて、南無阿弥陀仏《なむあみだぶつ》を称《とな》えます。その声《こえ》を聞《き》いて、わたしも阿弥陀《あみだ》さまの本願《ほんがん》を信《しん》じて生《い》きていきたいと願《ねが》うこころで、南無阿《なむあ》弥陀仏《みだぶつ》と念仏《ねんぶつ》を称《とな》えれば、どんな人《ひと》でもほとけさまになることが決《き》まるのです。ただし父《ちち》を殺《ころ》したり、母《はは》を殺《ころ》したり、大切《たいせつ》な先生《せんせい》を殺《ころ》したり、仏法《ぶっぽう》を話《はな》す人《ひと》のじゃまをしたり、ほとけさまのからだから血《ち》を出《だ》したりするという、いのちをきずつける五《いつ》つのおそろしい罪《つみ》を犯《おか》す人《ひと》と、ほとけさまの教《おし》えをうたがい、悪《わる》く言《い》う人《ひと》については、その罪《つみ》の重《おも》さを知《し》るまで待《ま》っています。

世《よ》の中《なか》には、阿弥陀《あみだ》さまの国《くに》に生《う》まれたいと願《ねが》う人《ひと》たちのすがたが、大《おお》きく分《わ》けて三《みっ》つあります。

一《ひと》つ目《め》の人《ひと》たちは、家族《かぞく》のそばからはなれ、世間《せけん》の生活《せいかつ》をすて、僧侶《そうりょ》となり、なんとかしてほとけさまになろうというこころで、一心《いっしん》に阿弥陀《あみだ》さまの名《な》、南無阿弥陀仏《なむあみだぶつ》を称《とな》えます。そして、善《よ》い行《おこな》いをたくさん積《つ》み重《かさ》ねて、阿弥陀《あみだ》さまの国《くに》に生《う》まれようとします。この人《ひと》たちがいのち終《お》わる時《とき》には、阿弥陀《あみだ》さまは、たくさんの弟子《でし》たちといっしょにあらわれてくださいます。そして、ほとけさまに導《みちび》かれて浄土《じょうど》へ生《う》まれることができるのです。阿弥陀《あみだ》さまの国《くに》に生《う》まれると、すばらしくすぐれた智慧《ちえ》と、自由自在《じゆうじざい》な力《ちから》とを身《み》につけることができます。

二《ふた》つ目《め》の人《ひと》たちは、一《ひと》つ目《め》の人《ひと》たちのように親《おや》や兄弟姉妹《きょうだいしまい》のそばをはなれて、善《よ》い行《おこな》いをたくさん積《つ》み重《かさ》ねることができなくても、なんとかしてほとけさまになりたいというこころで、ひたすらに阿弥陀《あみだ》さまの名《な》を称《とな》えます。そして、できるかぎり善《よ》いことをすることをこころがけ、決《き》まりをまもり、お寺《てら》を建《た》てることや、ほとけさまの像《ぞう》を作《つく》ることに力《ちから》を入《い》れ、僧侶《そうりょ》の方々《かたがた》にお布施《ふせ》をしたり、ほとけさまの教《おし》えを聞《き》くためにお花《はな》をかざったり、お香《こう》をたいたり、お灯明《とうみょう》を灯《とも》したりして、阿弥陀《あみだ》さまの国《くに》に生《う》まれようとします。この人《ひと》たちがいのち終《お》わる時《とき》には、阿弥陀《あみだ》さまは、その人《ひと》たちに応《おう》じたすがたで、たくさんの弟子《でし》たちといっしょに、あらわれてくださいます。そして、浄土《じょうど》に生《う》まれることができるのです。

それから、三《みっ》つ目《め》の人《ひと》たちは、一《ひと》つ目《め》や二《ふた》つ目《め》の人《ひと》たちのようなことはできなくても、なんとかしてほとけさまになろうというこころで、ひたすらに阿弥陀《あみだ》さまの名《な》を称《とな》えて、ほとけの国《くに》に生《う》まれたいと願《ねが》います。この中《なか》には、一生涯《いっしょうがい》、念仏《ねんぶつ》を称《とな》える人《ひと》もいれば、一声《ひとこえ》の念仏《ねんぶつ》を称《とな》えただけで、阿弥陀《あみだ》さまを信《しん》じて浄土《じょうど》に生《う》まれる人《ひと》もいます。この人《ひと》たちは、自《みずか》らのいのちの終《お》わる時《とき》に、夢《ゆめ》を見《み》るかのように阿弥陀《あみだ》さまの、おむかえにきてくださるおすがたをおがんで、浄土《じょうど》に生《う》まれることができるのです。

このように、三《みっ》つのすがたの人《ひと》たちがいますが、どの人《ひと》であっても、それぞれの力《ちから》いっぱいできることをしながら、最後《さいご》は阿弥陀《あみだ》さまの名《な》を称《とな》えることによって、救《すく》われていくのです。

こうしてお釈迦《しゃか》さまは、自分《じぶん》からすすんで次《つぎ》のように話《はな》しました。

阿弥陀《あみだ》さまの光明《こうみょう》のはたらきには、限界《げんかい》がありません。数限《かずかぎ》りないたくさんのほとけさまたちの中《なか》で、阿弥陀《あみだ》さまを讃《たた》えない人《ひと》はいらっしゃいません。東《ひがし》の方《ほう》にあるたくさんのほとけさまたちの国々《くにぐに》から、大勢《おおぜい》のありとあらゆる弟子《でし》たちが、阿弥陀《あみだ》さまの元《もと》に訪《たず》ねてきて、おがみ、うやまって、おそなえものをして、いろいろな教《おし》えを聞《き》きます。またそれをあらゆる人《ひと》たちに、語《かた》り広《ひろ》めておられます。東《ひがし》ばかりではありません。南《みなみ》も、西《にし》も、北《きた》も、その他《ほか》の方位《ほうい》も、上《うえ》も下《した》も、すべての国々《くにぐに》の弟子《でし》たちが、みんな同《おな》じようにしているのです。

それからお釈迦《しゃか》さまは次《つぎ》のような歌《うた》を歌《うた》いました。

これより東《ひがし》に
国《くに》ありその数《かず》
河《かわ》のすなほど
南西北《みなみにしきた》

みほとけの
ガンジスの
かぎりなし
上下《うえした》も

あらゆる方角《ほうがく》
その国々《くにぐに》から
安楽浄土《あんらくじょうど》の
たずねておがみ

また同《おな》じ
弟子《でし》たちが
阿弥陀仏《あみだぶつ》
ほめたたえ

ああ厳《おごそ》かな
おもいはかれぬ

浄《きよ》き国《くに》
美《うつく》しさ

道《みち》を求《もと》めて　こころざし
わたしの国《くに》も　こうありたい

その時《とき》阿弥陀《あみだ》は　笑《え》みたたえ
口《くち》より無数《むすう》の　ひかり出《だ》し
あらゆる国《くに》を　照《て》りわたり
ひかりかえりて　身《み》をめぐる

阿弥陀《あみだ》が発《はっ》した　そのみ声《こえ》
雷鳴《らいめい》のように　打《う》ちひびく
あきらかに聞《き》け　汝等《なんじら》は
やがてほとけの　身《み》とならん

阿《あ》弥《み》陀《だ》の願《ねが》い　込《こ》めた名《みな》
聞《き》いて往生《おうじょう》　願《ねが》うもの
みな浄土《じょうど》に　生《う》まれては
二度《にど》と迷《まよ》わぬ　身《み》とならん

南《な》無《む》阿《あ》弥《み》陀《だ》仏《ぶつ》の　名《みな》なくば
この教《おし》えを　聞《き》きがたし
きよき道《みち》をば　歩《あゆ》む人《ひと》
今《いま》こそまさに　法《ほう》を聞《き》け

ほとけの智《ち》慧《え》の　大海《たいかい》は
広《ひろ》く果《は》てなく　底《そこ》もなし

たどり着《つ》けない　人《ひと》ばかり
ただほとけのみ　明《あき》らかに

たとえ人《ひと》に　生《う》まれても
ほとけの世《よ》には　遇《あ》いがたし
まことの信《しん》も　有《あ》り難《がた》し
怯《ひる》むことなく　法《ほう》を聞《き》け

仏法《ぶっぽう》聞《き》きて　忘《わす》れずに
信《しん》じ大《おお》いに　よろこべば
汝《なんじ》まさしく　真《しん》の友《とも》
今《いま》こそ道《みち》を　求《もと》めよう

迷《まよ》いの火《ひ》　世《よ》に　満《み》ちるとも
ひるまず歩《あゆ》み　法《ほう》を聞《き》け
さればほとけの　道《みち》を得《え》て
迷《まよ》える人《ひと》びと　導《みちび》かん

それから、お釈迦《しゃか》さまは続《つづ》けて話《はな》しました。

浄土《じょうど》に生《う》まれる人《ひと》たちは、ほとけさまと同《おな》じ位《くらい》になることができます。しかし、悲《かな》しみなやむ人《ひと》を救《すく》いたいと願《ねが》えば、再《ふたた》びこの世《よ》に出《で》てくることもできるのです。

阿弥陀《あみだ》さまの国《くに》の弟子《でし》たちのからだから放《はな》たれる光《ひかり》は、四千里《よんせんり》も遠《とお》いところまで照《て》らすことができます。弟子《でし》の中《なか》でも、最《もっと》も尊《とうと》い人《ひと》が二人《ふたり》いて、世界中《せかいじゅう》を照《て》らすことができます。その一人《ひとり》は、観世音菩薩《かんぜおんぼさつ》と言い、もう一人《ひとり》は、大勢至菩薩《だいせいしぼさつ》と言《い》います。この二人《ふたり》は、元《もと》はこの世《よ》で道《みち》を求《もと》めて歩《あゆ》み、いのち終《お》わって阿弥陀《あみだ》さまの国《くに》に生《う》まれたのです。

どのような人《ひと》でも、浄土《じょうど》に生《う》まれると、ほとけさまの三十二《さんじゅうに》の特長《とくちょう》を持《も》ち、智慧《ちえ》は満《み》ち、自由自在《じゆうじざい》に神通力《じんずうりき》も使《つか》えます。こころのにぶい人《ひと》はゆっくりと、びん感《かん》な人《ひと》はすぐに、本当《ほんとう》のさとりを得《え》ることができます。そして、たとえどれほど年月《ねんげつ》が経《た》っても、もう決《けっ》して悪《わる》い世《せ》界《かい》にかえることはありません。しかし、迷《まよ》っている人《ひと》を救《すく》うため、にごった世界《せかい》の中《なか》に、迷《まよ》っている人《ひと》と同《おな》じ身《み》に生《う》まれたいと望《のぞ》む人《ひと》は、そうすることもできます。

阿弥陀《あみだ》さまの国《くに》に生《う》まれた人《ひと》たちは、阿弥陀《あみだ》さまのお力《ちから》によって、一度《いちど》の食事《しょくじ》をするくらいのわずかな間《あいだ》に、あらゆる世界《せかい》の限《かぎ》りないほとけの国々《くにぐに》に往《い》って、ほとけさまたちをうやまい、おそなえものをします。その時《とき》に、こころで思《おも》うだけで、花《はな》やお香《こう》、楽器《がっき》、かざりのかさ、旗《はた》でも、自然《しぜん》にその人《ひと》の前《まえ》にあらわれます。それらは、この世《よ》で見《み》ることのできないようなめずらしいものばかりで、ほとけさまにすべて捧《ささ》げます。すると、花《はな》は空中《くうちゅう》に舞《ま》って大《おお》きな花《はな》のかさとなり、お香《こう》は天地《てんち》に香《かお》りわたります。楽器《がっき》は自然《しぜん》にほがらかな音楽《おんがく》を演奏《えんそう》し、ほとけさまのお徳《とく》をほめ讃《たた》えるのです。

またほとけさまが、時々《ときどき》、その国《くに》に生《う》まれた人《ひと》たちに向《む》かってお話《はなし》をされることがあります。いろいろな宝《たから》でできた講堂《こうどう》にみんな集《あつ》まって、ほとけさまの尊《とうと》い教《おし》えを聞《き》くのです。それを聞《き》く人《ひと》は、みんなこころからよろこびがわいてきて、深《ふか》く理解《りかい》しない人《ひと》は一人《ひとり》もいません。

ほとけさまのお話《はなし》を聞《き》いていると、周《まわ》りからやわらかい風《かぜ》がふいて、宝《たから》の木々《きぎ》にあたると、ほがらかな音楽《おんがく》がはじまり、美《うつく》しい花《はな》びらが散《ち》って、なんとも言《い》えない雰囲気《ふんいき》となります。

そして、阿弥陀《あみだ》さまの国《くに》に生《う》まれた人《ひと》たちが、自分《じぶん》でお話《はなし》がしたいと思《おも》うと、ほとけさまの智慧《ちえ》のままに、自由自在《じゆうじざい》に教《おし》えをお話《はな》しすることができます。世《よ》の人《ひと》びとを自分《じぶん》のひとり子《ご》のようにやさしく思《おも》いやり、めぐみをあたえます。すると、じまんしたり、勝《か》ち負《ま》けに執着《しゅうちゃく》したりせず、きよらかなこころになるのです。

その智慧《ちえ》の深《ふか》さは広《ひろ》い海《うみ》のようで、こころの静《しず》けさは大《おお》きな山《やま》のようです。阿弥陀《あみだ》さまの国《くに》に生《う》まれた人《ひと》たちのきよらかで美《うつく》しいこころは、まっ白《しろ》な雪山《ゆきやま》のようです。好《す》きなものときらいなもの、善《よ》いものと悪《わる》いものに対《たい》して分《わ》けへだてしないこころは、まるで大地《だいち》のようです。いろいろな迷《まよ》いの汚《よご》れをあらい流《なが》すようすは、きよらかな水《みず》のようです。あらゆる罪《つみ》や、なやみのもとを焼《や》きつくすようすは、さかんに燃《も》えている火《ひ》のようです。どんなものにも、とらわれることのないこころは、大空《おおぞら》のようです。世《よ》のにごりに少《すこ》しもそまらないところは、泥《どろ》にそまらない蓮《はす》の花《はな》のようです。迷《まよ》っている多《おお》くの人《ひと》たちをさとりの世界《せかい》に連《つ》れ出《だ》すすがたは、大《おお》きな車《くるま》のようです。ほとけさまの道《みち》のじゃまになる自分《じぶん》のこころや、考《かんが》えの違《ちが》う人《ひと》たちに少《すこ》しも動《うご》かされないことは、大《おお》きな山《やま》のようです。

このようなこころを持《も》って世《よ》の灯明《とうみょう》となり、功徳《くどく》を生《う》み出《だ》す田《た》や畑《はたけ》となって、いつも世《よ》の中《なか》を導《みちび》いて安《やす》らかにします。人《ひと》びとの中《なか》に、一人《ひとり》としてうやまわない人《ひと》はありません。

阿弥陀《あみだ》さまの国《くに》に生《う》まれた人《ひと》たちは、たえしのぶ力《ちから》や努《つと》めはげむ力《ちから》、どんなむかしのことやどんな未来《みらい》のことでも見《み》る力《ちから》など、あらゆる力《ちから》をことごとく身《み》につけているのです。この人《ひと》たちは、すぐれた身《み》とすがたと、行《おこな》いと、お話《はなし》をする才能《さいのう》をそなえ、多《おお》くのほとけさま方《がた》から、ほめ讃《たた》えられるのです。

阿難《あなん》よ、浄土《じょうど》に生《う》まれた人《ひと》たちは、このように限《かぎ》りない功徳《くどく》を身《み》につけています。今《いま》、わたしは特《とく》に大事《だいじ》なところだけをお話《はな》ししました。もしこれをくわしくお話《はな》しするならば、たとえ何万年《なんまんねん》かかっても、とても語《かた》りつくすことはできません。

次《つぎ》にお釈迦《しゃか》さまは、弥勒菩薩《みろくぼさつ》とその場《ば》に集《あつ》まった、たくさんの天《てん》の神々《かみがみ》や人《ひと》びとに向《む》けて話《はな》しました。

阿弥陀《あみだ》さまの国《くに》に生《う》まれた人《ひと》たちの功徳《くどく》や智慧《ちえ》のすばらしさは、とても言《い》いつくせません。そしてその国土《こくど》のうるわしく安《やす》らかでできよらかなことは、今《いま》までお話《はな》ししたとおりです。

阿弥陀《あみだ》さまの国《くに》は、人《ひと》に上下《うえした》を作《つく》らず、だれもすみっこに追《お》いやることのない国《くに》なのです。みなさんどうか、ひたすらにこの国《くに》に生《う》まれたいと願《ねが》ってください。この国《くに》に生《う》まれるのには、何《なに》もむずかしい修《しゅ》行《ぎょう》をする必要《ひつよう》はありません。ただほとけさまの本願《ほんがん》のはたらきを信《しん》じて、南無阿弥陀仏《なむあみだぶつ》と念仏《ねんぶつ》を称《とな》えるだけで、地獄《じごく》・餓鬼《がき》・畜生《ちくしょう》・人間《にんげん》・天上《てんじょう》の迷《まよ》いが自然《しぜん》に断《た》ち切《き》られます。このように阿弥陀《あみだ》さまの国《くに》へはとても生《う》まれやすいのに、生《う》まれる人《ひと》はめったにいないのです。なぜなら多《おお》くの人《ひと》は、世《よ》の中《なか》のつまらないことにこころをひかれたり、自《じ》分《ぶん》のまちがった考《かんが》えにたよったりして、阿弥陀《あみだ》さまの本願《ほんがん》を信《しん》じないからです。さあ、みなさん、早《はや》く本願《ほんがん》を信《しん》じて、ひたすら念仏《ねんぶつ》を称《とな》えてこの国《くに》に生《う》まれたいと願《ねが》ってください。そのために、これからわたしは、世《よ》の中《なか》の人《ひと》たちが、いったいなにで迷《まよ》い苦《くる》しんでいるのか、またこの世《よ》の中《なか》が、どのようににごっているのかをお見《み》せします。みなさんが気《き》づいて、自分《じぶん》から阿弥陀《あみだ》さまの教《おし》えにこころを向《む》けてほしいのです。

今《いま》の世《よ》の中《なか》のようすを見《み》ると、みんな人《ひと》を思《おも》いやるこころがうすっぺらになっています。そして、どうでもいい、急《いそ》がなくてもいいことを、ひたすらに争《あらそ》い合《あ》っています。

人《ひと》びとは、罪悪《ざいあく》にまみれたおそろしい苦《くる》しみの中《なか》で、日々《ひび》時間《じかん》に追《お》われて、その日《ひ》のくらしをするのに精《せい》いっぱいです。社会的地位《しゃかいてきちい》の高《たか》い人《ひと》も低《ひく》い人《ひと》も、貧《まず》しい人《ひと》もお金持《かねも》ちも、わかい人《ひと》も老人《ろうじん》も、男《おとこ》も女《おんな》もみんな同《おな》じようにお金《かね》や財産《ざいさん》のことを心配《しんぱい》しています。無《な》ければ無《な》いことで、有《あ》れば有《あ》ることで思《おも》いなやんでいます。そのためにみんな、落《お》ちこんだり、うろたえたり、過《す》ぎ去《さ》ってしまったことをいつまでも思《おも》い、これからのことをむやみに心配《しんぱい》して、くたくたになり、こころが安《やす》らかになる時《とき》はありません。

田《た》んぼを持《も》つ人《ひと》は田《た》んぼが有《あ》ることで心配《しんぱい》し、家《いえ》を持《も》つ人《ひと》は家《いえ》が有《あ》ることで心配《しんぱい》します。その他《ほか》、牛《うし》や馬《うま》などの家《か》ちくを飼《か》っている人《ひと》はそのことで、人《ひと》をやとっている人《ひと》は、そのことで思《おも》いなやみます。またお金《かね》や服《ふく》など、自分《じぶん》の大事《だいじ》な宝物《たからもの》などを持《も》っている人《ひと》は、持《も》っていることでいろいろと神経《しんけい》を使《つか》って、苦労《くろう》を重《かさ》ね、心配《しんぱい》がつきません。思《おも》いがけない水害《すいがい》や火災《かさい》にあって、持《も》っていたものが流《なが》されたり焼《や》かれたり、ぬすまれたり借金《しゃっきん》のかたに取《と》られたりして、なくなってしまうようなことがあれば、悲《かな》しく腹《はら》だたしい気持《きも》ちでいっぱいになります。昼《ひる》も夜《よる》もなやみ苦《くる》しんで、気持《きも》ちが晴《は》れることはありません。さらに、水害《すいがい》や火災《かさい》にあって、いのちを失《うしな》ってしまえば、お金《かね》も財産《ざいさん》も、みんなこの世《よ》にすてていかなければなりません。その時《とき》には、いっしょについて来《き》てくれる人《ひと》は、だれもいないのです。社会的地位《しゃかいてきちい》が高《たか》くお金《かね》持《も》ちであっても、この心配《しんぱい》からのがれることはできません。

また、社会的地位《しゃかいてきちい》が低《ひく》く貧《まず》しい人《ひと》は、いつも無《な》いことで心配《しんぱい》しています。田《た》んぼが無《な》ければ田《た》んぼが欲《ほ》しいとこころをなやまし、家《いえ》が無《な》ければ家《いえ》が欲《ほ》しいとなやみます。お金《かね》や服《ふく》、家具《かぐ》や道具《どうぐ》なども、無《な》ければ無《な》いことを心配《しんぱい》し、あれさえあれば、これさえあればとなやむのです。たまたま何《なに》かが一《ひと》つ手《て》に入《はい》ったとしても、しばらくすると、また何《なに》か他《ほか》の一《ひと》つを欲《ほ》しいと思《おも》い、これを得《え》ればあれをと、何《なに》もかも、欲《ほ》しいものをすべて手《て》に入《い》れるまで、そのこころは止《や》むことがありません。たまたま望《のぞ》んだものがすべて手《て》に入《はい》ったとしても、それはいっときのことで、いつまでも持《も》ち続《つづ》けられるものではありません。このように、苦《くる》しんで追《お》い求《もと》めても思《おも》いどおりにはならず、心配《しんぱい》ばかりをして、身《み》もこころもくたくたにつかれ果《は》て、時《とき》にはそれがもとでいのちをちぢめ、身《み》をほろぼすこともあります。そうやって一生《いっしょう》の間《あいだ》、自《じ》分《ぶん》からすすんで善《よ》いことも、ほとけさまの道《みち》を求《もと》めることもせず、たいのちを終《お》え、一人《ひとり》遠《とお》くへ去《さ》って行《ゆ》くのです。そういう人《ひと》が行《い》き着《つ》く先《さき》は、一人《ひとり》ぼっちで冷《つめ》たく暗《くら》い地獄《じごく》の世界《せかい》であるということは決《き》まっているのですが、それはだれも知《し》りません。

どうかみなさん、よく知《し》っておいてください。親《おや》や兄弟《きょうだい》姉妹《しまい》や親戚《しんせき》とおたがいにうやまい愛《あい》し合《あ》って、にくしみねたみ合《あ》うようなことがあってはなりません。持《も》っている人《ひと》と、持《も》っていない人《ひと》とは、おたがいに助《たす》け合《あ》って、一人《ひとり》じめしたりうばい合《あ》ったりしてはいけません。いつも言葉《ことば》や表情《ひょうじょう》を和《やわ》らげて、けんかなどはしないようにしましょう。もしだれかと争《あらそ》い、その人《ひと》に対《たい》していかりのこころを持《も》つことがあったなら、たとえそれがこの世《よ》では、わずかなうらみやねたみのこころでも、だんだんとはげしくなり、ついには後《のち》の世《よ》で大《おお》きなうらみとなるでしょう。なぜなら、この世《よ》であればおたがいにきずつけ合《あ》っても、その時々《ときどき》の立場《たちば》や事情《じじょう》のために、すぐに相手《あいて》を力《ちから》ずくで打《う》ち負《ま》かすようなことはめったにありません。しかし、胸《むね》の中《なか》にいかりをたくわえ、毒《どく》を持《も》ち、こころにきざみつけられていると、次《つぎ》の世《よ》ではそれが大《おお》きく強《つよ》くなり、にくしみ合《あ》う相手《あいて》と、はなれることができません。そして、ずっとその人《ひと》とうらみ合《あ》っては苦《くる》しみ、きずつけ合《あ》うことになるのです。

人《ひと》は、すべてを欲《ほ》しがり、何《なん》でも思《おも》いどおりにしようとする世《よ》の中《なか》にあって、たった独《ひと》りで生《う》まれて来《き》て、独《ひと》りで死《し》に、独《ひと》りで来《き》て、独《ひと》りで世《よ》を去《さ》るのです。この世《よ》でどう生《い》きたかによって、次《つぎ》の世《よ》での自《じ》分《ぶん》の居場所《いばしょ》が決《き》まります。その結果《けっか》を、だれにも代《か》わってもらうことはできません。善《よ》い行《おこな》いをした人《ひと》は、安《やす》らかでほがらかなところへ行《い》きますが、悪《わる》い行《おこな》いをした人《ひと》は、いつも何《なに》かをうらんで苦《くる》しんでいるようなところへ行《い》くことがあらかじめ決《き》まっているので、いやでもそこへ独《ひと》りで行《い》かなければなりません。こうして遠《とお》く別《べつ》の世《よ》へ行《い》ってしまえば、もう愛《あい》する人《ひと》とも二度《にど》と会《あ》うことはできなくなってしまいます。それなのに、なぜ世《よ》の中《なか》の人《ひと》びとはつまらないことにこころをひかれたり、腹《はら》をたてたりすることを止《や》めないのでしょう。元気《げんき》なうちに、自分《じぶん》のこころをはげまして善《よ》いことをし、いのちが終《お》わることのないほとけさまの世界《せかい》に生《う》まれようと願《ねが》うべきなのです。どうしてほとけさまの道《みち》を求《もと》めないのでしょうか。その他《ほか》にどんな楽《たの》しみがあるというのでしょう。

このように世《よ》の中《なか》の人《ひと》びとは、善《よ》いことをすれば善《よ》い結果《けっか》となり、阿弥陀《あみだ》さまの道《みち》を信《しん》じれば、阿弥陀《あみだ》さまの国《くに》に生《う》まれるということを信《しん》じないでいます。それどころか、信《しん》じないことを正《ただ》しいことのように思《おも》いこんでいて、親《おや》はまちがった考《かんが》えを子《こ》に伝《つた》え、子《こ》はまた孫《まご》に教《おし》えるというように、次々《つぎつぎ》と伝《つた》えられていきます。そのため親《おや》も子《こ》も孫《まご》も善《よ》い行《おこな》いをすることがありませんし、阿弥陀《あみだ》さまの道《みち》のありがたさを知《し》ることもありません。おろかな行動《こうどう》をし、こころをとざしてしまい、その結果《けっか》、おそろしく暗《くら》いところへ行《い》くということにも気《き》づかずにいます。そしてそのことをしっかり教《おし》えてくれる人《ひと》さえいません。世《よ》の中《なか》では毎日《まいにち》のように、善《よ》いことや悪《わる》いこと、わざわいや幸《さいわ》いなことがあわただしく起《お》こります。しかしそれが自分《じぶん》のしたことから起《お》こっているものだと、自分《じぶん》の生《い》き方《かた》をふり返《かえ》る人《ひと》は一人《ひとり》もいません。

この世《よ》は無常《むじょう》です。人《ひと》の死《し》はいつだれに起《お》こるかわかりません。親《おや》がわが子《こ》の死《し》を悲《かな》しんでいたかと思《おも》うと、子《こ》が自分《じぶん》の親《おや》の死《し》を悲《かな》しみます。兄弟姉妹《きょうだいしまい》や夫婦《ふうふ》も、それぞれたがいに別《わか》れをなげき悲《かな》しんでいます。親《おや》が先《さき》に死《し》ぬものと思《おも》っていたら、子《こ》から先《さき》に死《し》ぬこともあります。これこそ無常《むじょう》で、いつまでも生《い》きてはいられないのです。いのちあるものが生《う》まれたり死《し》んだりすることは、この世《よ》のさけることのできないすがたで、本当《ほんとう》は今《いま》さらおどろくことではないのです。しかし、みんなそれを知《し》らずに、深《ふか》く悲《かな》しみます。

このような人《ひと》びとは、阿弥陀《あみだ》さまの教《おし》えを信《しん》じないで、目《め》の前《まえ》の快《かい》楽《らく》や愛欲《あいよく》にこころがくらみ、つまらないことに腹《はら》をたて、お金《かね》や欲《ほ》しいものをいつもむさぼっています。そのすがたは、まるでうえたオオカミのようです。

一《ひと》つの家族《かぞく》の中《なか》でも、生《う》まれる人《ひと》があれば、死《し》ぬ人《ひと》もあります。うれしいことがあったと思《おも》えば、またすぐに悲《かな》しいことが起《お》きます。よろこんだり悲《かな》しんだりしていると、こころはつかれ果《は》てて、阿弥陀《あみだ》さまの教《おし》えを聞《き》きたいと思《おも》うことも、聞《き》くような機会《きかい》もありません。道《みち》を求《もと》めることがないまま、ただうろうろしている間《あいだ》に一生《いっしょう》を終《お》えてしまい、後《あと》は暗《くら》い暗《くら》いところへ落《お》ちていくのです。

このように世《よ》の中《なか》は、にごりみだれて、正《ただ》しい道《みち》を歩《あゆ》む人《ひと》は少《すく》なく、正《ただ》しくない道《みち》におちいっている人《ひと》が多《おお》いのです。この世《よ》は、いつもそわそわとしてあわただしく、たよりになる人《ひと》がなく、立場《たちば》の高《たか》い人《ひと》も低《ひく》い人《ひと》も、貧《まず》しい人《ひと》もお金持《かねも》ちの人《ひと》も、だれもが自分《じぶん》の欲望《よくぼう》を満《み》たそうとして苦《くる》しんで走《はし》り回《まわ》っています。人《ひと》はそれぞれ、こころに殺気《さっき》を持《も》ち、毒気《どくけ》をかかえていて、ついには殺《ころ》し合《あ》うことさえあるのです。そして、おそろしい悪《あく》の世界《せかい》に行《い》って、数千億年《すうせんおくねん》もの間《あいだ》、そこで苦《くる》しみ続《つづ》けて、もうそこから出《で》ることができなくなります。そのいたましさは何《なん》と言《い》っていいのか言葉《ことば》もありません。本当《ほんとう》にあわれなことだと思《おも》いませんか。

このように世《よ》の中《なか》の人《ひと》びとは、欲《よく》といかりとおろかさのために、罪《つみ》をつくり、苦《くる》しんでいるのです。

それからお釈迦《しゃか》さまは、弥勒菩薩《みろくぼさつ》をはじめ、たくさんの人《ひと》びとに言《い》いました。

世《よ》の中《なか》は、わたしが今《いま》まで話《はな》してきたようなものです。今《いま》、迷《まよ》っている人《ひと》たちは、阿弥陀《あみだ》さまの正《ただ》しい道《みち》がわからないのです。みなさんはよく考《かんが》え、悪《わる》い行動《こうどう》をやめ、善《よ》いことをするようにこころがけなければいけません。迷《まよ》いながらでは、安心《あんしん》できません。どうか本当《ほんとう》に阿《あ》弥陀《みだ》さまの国《くに》に生《う》まれたいと願《ねが》ってください。もしわたしの話《はなし》がわからなければ、たずねてください。

そこで弥勒菩薩《みろくぼさつ》は、うやうやしくひざまずき、お釈迦《しゃか》さまに言《い》いました。

「わからないことはありません。お釈迦《しゃか》さまがお伝《つた》えになる一《ひと》つひとつのお言葉《ことば》すべてに、深《ふか》く感動《かんどう》しています。このお説法《せっぽう》を聞《き》いて、こころを動《うご》かさない人《ひと》は、一人《ひとり》もいないでしょう。今《いま》、お釈迦《しゃか》さまにお会《あ》いし、阿弥陀《あみだ》さまのお名前《なまえ》を聞《き》けて、みんなよろこんでいます。阿《あ》弥陀《みだ》さまの国《くに》へ歩《あゆ》み出《だ》せます。こんな幸《しあわ》せなことはありません」

お釈迦《しゃか》さまは、さらに続《つづ》けて話《はな》しました。

弥勒《みろく》よ、ほとけさまの教《おし》えとは、迷《まよ》っている人《ひと》たちに、おろかな欲《よく》をすてさせて、罪《つみ》や悪《あく》のもとをなくし、正《ただ》しい道《みち》を示《しめ》してくださる教《おし》えなのです。弥勒《みろく》よ、あなたたちは、はるかむかしから、地獄《じごく》、餓鬼《がき》、畜生《ちくしょう》、人間《にんげん》、天上《てんじょう》という五《いつ》つの世界《せかい》を、なんどもなんどもくり返《かえ》し、さまよい続《つづ》けてきました。そのあなたたちが、今初《いまはじ》めて、阿弥陀《あみだ》さまの名《な》を聞《き》いて、阿弥陀《あみだ》さまの国《くに》、浄土《じょうど》に生《う》まれる身《み》となったのは、たいへんうれしいことです。この世《よ》を生《い》きるのは、限《かぎ》られた時間《じかん》です。その身《み》を整《ととの》えて、正《ただ》しい行《おこな》いをして、阿弥陀《あみだ》さまのおこころをいただくと、阿弥陀《あみだ》さまの国《くに》に生《う》まれて、尽《つ》きることのない寿命《いのち》と力《ちから》をそなえた身《み》になるでしょう。ほとけさまの教《おし》えをうたがうと、ほとけさまのもとへ生《う》まれることができなくなります。そんなことにならないように。

わたしはいつも、この世《よ》の中《なか》に阿弥陀《あみだ》さまの教《おし》えを伝《つた》えようと思《おも》っています。しかし、人《ひと》びとが、五《いつ》つの悪《わる》い行《おこな》いによって苦《くる》しみ、いのちが終《お》わって次《つぎ》に生《う》まれかわっても、またもがき苦《くる》しむのを見《み》てきて、とても悲《かな》しいのです。悪《わる》いことをする人《ひと》びとに、わたしが阿弥陀《あみだ》さまの教《おし》えを伝《つた》えることで、こころを改《あらた》めさせ、苦《くる》しみからはなれさせ、正《ただ》しいこころになり、決《けっ》して変《か》わることのない阿弥陀《あみだ》さまのさとりを知《し》ってもらいたいと思《おも》います。それでは、これからその五《いつ》つの悪《あく》と苦《くる》しみについてお話《はな》ししましょう。

そしてお釈迦《しゃか》さまは、五《いつ》つの悪《あく》について次《つぎ》のように話《はな》しました。

第一《だいいち》の悪《あく》というのは、強《つよ》い人《ひと》が弱《よわ》い人《ひと》を苦《くる》しめたり、おたがいにきずつけ合《あ》い殺《ころ》し合《あ》ったり、少《すこ》しも善《よ》いことをせず、他《ほか》の人《ひと》を思《おも》いやるこころがまったくないことです。そうすると、人《ひと》が人《ひと》としてうやまわれない世界《せかい》になってしまいます。

思《おも》いやりのこころのない人《ひと》は、この世《よ》でさばかれ、牢獄《ろうごく》にとじこめられてしまうこともあります。

この世《よ》だけでなく、いのちが終《お》わっても、今以上《いまいじょう》の苦《くる》しみを受《う》けます。暗《くら》やみの世界《せかい》に生《う》まれては死《し》ぬことをくり返《かえ》し、苦《くる》しみからにげられません。憎《にく》しみ合《あ》った相手《あいて》も、その世界《せかい》に生《う》まれるので、この世《よ》にいた時《とき》とは比《くら》べようもないほどうらみ合《あ》い、憎《にく》しみが終《お》わりなく続《つづ》くのです。

これが第一《だいいち》の大《おお》きな悪《あく》と、この世《よ》と次《つぎ》に生《う》まれる世《よ》で受《う》ける苦《くる》しみです。悪《あく》を犯《おか》す人《ひと》が苦《くる》しむようすは、燃《も》えさかる火《ひ》に身《み》を焼《や》かれるようなものです。しかしこのような世《よ》の中《なか》に生《い》きていても、こころを落《お》ちつけて、自分《じぶん》さえ良《よ》ければいいというような行動《こうどう》をせず、正《ただ》しい行《おこな》いをし、善《よ》いことをし、悪《わる》いことをしなければ、その身《み》に功徳《くどく》を受《う》けて、阿弥陀《あみだ》さまの国《くに》に生《う》まれることができるのです。思《おも》いやりのこころを持《も》ってほとけさまのおこころを味《あじ》わうことを、第一《だいいち》の大《おお》いなる善《ぜん》というのです。

第二《だいに》の悪《あく》というのは、人《ひと》として正《ただ》しく生《い》きようとするこころがないことです。世《よ》の中《なか》の人《ひと》びとを見《み》ると、親子《おやこ》や兄弟《きょうだい》姉妹《しまい》、夫婦《ふうふ》といった一《ひと》つの家《いえ》でともに生活《せいかつ》している者《もの》でも、おたがいに約束《やくそく》を破《やぶ》り、わがままなこころで、自分《じぶん》の好《す》きなことだけをして、自分《じぶん》の満足《まんぞく》のためだけに勝手《かって》気《き》ままにふるまっています。平気《へいき》でうそをつき、言《い》っていることと本心《ほんしん》がちがっていて、誠実《せいじつ》さがありません。また、王《おう》さまに仕《つか》える人《ひと》が、お世辞《せじ》を言《い》ってきげんを取《と》っていても、本心《ほんしん》からその王《おう》さまにつくすことはないのです。仲間《なかま》どうしであっても、かしこい人《ひと》をねたみ、善《よ》い人《ひと》の悪口《わるくち》を言《い》って無実《むじつ》の罪《つみ》におとしいれようとします。

家来《けらい》は王《おう》さまをうら切《ぎ》り、子《こ》は自分《じぶん》の親《おや》をだますなど、立場《たちば》の上《うえ》も下《した》も関係《かんけい》なく、みんなこのようなこころなのです。その結果《けっか》、家《いえ》はつぶれ、身《み》をほろぼし、親戚《しんせき》など周囲《しゅうい》の人《ひと》たちにまで問題《もんだい》がおよぶことになるのです。ある時《とき》には、仲間《なかま》や村《むら》や町《まち》の人《ひと》たちが、それぞれの思《おも》いをもって集《あつ》まり、手《て》を組《く》んで、おろかにもおたがいに自分《じぶん》が損《そん》した、得《とく》をしたと争《あらそ》い、ねたみあうことがあります。また裕福《ゆうふく》な人《ひと》は、他人《ひと》にほどこすことをせずに、ますます自分《じぶん》の財産《ざいさん》にしがみつくあまり、自分《じぶん》の身《み》とこころを苦《くる》しめるのです。世《よ》の中《なか》の人《ひと》びとは、こころがおろかで、善《よ》い行《おこな》いをする人《ひと》を見《み》ても、自分《じぶん》もあのようになりたいとは思《おも》いません。逆《ぎゃく》に、善《よ》い行《おこな》いをする人《ひと》をうらみ、悪口《わるくち》を言《い》うのです。ただ悪《わる》いことだけを考《かんが》えて、すべきでないことばかりをしています。

この世《よ》では、実際《じっさい》に国《くに》の法律《ほうりつ》で定《さだ》められた罪《つみ》の重《おも》さにしたがって、牢獄《ろうごく》でそれぞればつを受《う》けなければなりません。

そしていのちが終《お》わる時《とき》には、魂《たましい》はおそろしい世界《せかい》へ落《お》ちていきます。そこでは想像《そうぞう》もつかないほどの苦《くる》しみの中《なか》で、ういたりしずんだりをくり返《かえ》し、いつまでもその世界《せかい》から出《で》ることができないのです。

これが第二《だいに》の大《おお》きな悪《あく》と、この世《よ》と次《つぎ》に生《う》まれる世《よ》で受《う》ける苦《くる》しみです。しかし、このような悪《あく》の中《なか》にいても、こころを落《お》ち着《つ》けて、身《み》をつつしみ、人《ひと》としての正《ただ》しいあり方《かた》をまもり、阿弥陀《あみだ》さまの願《ねが》いを受《う》けとめる人《ひと》は、その身《み》に功徳《くどく》を受《う》けて、ついには阿弥陀《あみだ》さまの国《くに》に生《う》まれることができるのです。これを第二《だいに》の大《おお》いなる善《ぜん》というのです。

第三《だいさん》の悪《あく》というのは、人《ひと》を尊敬《そんけい》するこころがないことです。世《よ》の中《なか》の人《ひと》びとは、地位《ちい》や出身《しゅっしん》などに関係《かんけい》なく、だれもがおたがい助《たす》け合《あ》いながら生《い》きています。しかしそのこころは、みんな人《ひと》をうやまうことがなく、悪《わる》いことや身勝手《みがって》なことばかり考《かんが》えているのです。他《ほか》の人《ひと》を自分《じぶん》の思《おも》いどおりにしたいと思《おも》ってお世辞《せじ》を言《い》い、悪《わる》ふざけをし、いっしょにくらす人《ひと》を憎《うら》みきらって家庭《かてい》を大切《たいせつ》にしません。時《とき》には、仲間《なかま》でグループを作《つく》り、けんかをしたり、人《ひと》をきずつけたり、ついには殺《ころ》し合《あ》いをするまでになるのです。また、気《き》の向《む》くままに快楽《かいらく》におぼれ、身《み》が続《つづ》くかぎり楽《たの》しみにどっぷりつかり、ついには親戚《しんせき》の人《ひと》たちにも迷《めい》わくをかけ、みんながいたみ苦《くる》しむのです。

これらの人《ひと》たちが、自分《じぶん》のしたことに対《たい》するこの世《よ》で受《う》ける苦《くる》しみ、次《つぎ》の世《よ》で受《う》ける苦《くる》しみは、言《い》うまでもなくおそろしいものです。

これが第三《だいさん》の大《おお》きな悪《あく》です。しかし、このような悪《あく》の中《なか》にいても、こころを落《お》ち着《つ》けて、身《み》をつつしみ、人《ひと》をうやまい、阿弥陀《あみだ》さまのおこころを味《あじ》わう人《ひと》は、その身《み》に功徳《くどく》を受《う》けて、ついには、阿弥陀《あみだ》さまの国《くに》に生《う》まれることができるのです。これを第三《だいさん》の大《おお》いなる善《ぜん》というのです。

第四《だいよん》の悪《あく》というのは、善《よ》いことをしようとしないことです。この世《よ》の人《ひと》びとは、おたがいに教《おし》え合《あ》って悪事《あくじ》をおかし、人《ひと》によって言《い》うことを変《か》え、悪口《わるくち》を言《い》い、うそをつき、口先《くちさき》だけの都合《つごう》の良《い》いことを言《い》って、世《よ》の中《なか》をみだしています。親孝行《おやこうこう》をせず、先生《せんせい》や目上《めうえ》の人《ひと》を尊《そん》敬《けい》せず、友《とも》だちを信用《しんよう》しないなど、誠実《せいじつ》なこころがありません。ひとたび地位《ちい》が高《たか》くなれば、自分《じぶん》ほどえらい人間《にんげん》はないと考《かんが》え、やたらといばって人《ひと》をけなします。自分《じぶん》のことをふり返《かえ》らず、悪《わる》いことをしてもはずかしいと思《おも》いません。ただ自分《じぶん》の地位《ちい》や権力《けんりょく》を利用《りよう》しておどしているだけなので、人《ひと》からうやまわれることがないのです。

このような悪《あく》を天《てん》の神々《かみがみ》はすべて知《し》っておられます。このような人《ひと》は、前《まえ》の世《よ》で積《つ》んだ善《ぜん》のために、この世《よ》ではあまり苦《くる》しみを受《う》けないけれども、その善《ぜん》がつきると、周《まわ》りの人《ひと》びとに見《み》はなされ、一人《ひとり》ぼっちになってしまいます。それだけでなく、次《つぎ》の世《よ》では身《み》もこころもくだかれるほどの苦《くる》しみをいつまでも受《う》けなければなりません。

これが第四《だいよん》の大《おお》きな悪《あく》です。しかし、このような世《よ》の中《なか》にいても、こころを落《お》ち着《つ》けて、身《み》をつつしみ、善《よ》い行《おこな》いをして、悪事《あくじ》をおかさず、自分《じぶん》のおろかなこころに気《き》づく智慧《ちえ》をいただき、阿弥陀《あみだ》さまのおこころを味《あじ》わう人《ひと》は、その身《み》に功徳《くどく》を受《う》けて、やがて阿弥陀《あみだ》さまの国《くに》に生《う》まれることができるのです。これを第四《だいよん》の大《おお》いなる善《ぜん》というのです。

第五《だいご》の悪《あく》というのは、誠実《せいじつ》で正直《しょうじき》に向《む》き合《あ》うこころがないことです。この世《よ》の人《ひと》は、こころがなまけ、やるべきことに身《み》が入《はい》りません。それを見《み》かねて親《おや》が子《こ》どもに意見《いけん》をしたら、目《め》をつり上《あ》げ、らんぼうな言葉《ことば》で口《くち》ごたえをして、事《こと》あるごとにさからいます。親《おや》の言葉《ことば》にそむき反《はん》こうするすがたは、まるでにくい敵《てき》に対《たい》するようです。一方《いっぽう》、親《おや》は親《おや》で、自分《じぶん》の言《い》うことをきかない子《こ》どもなら、いっそのこといないほうがましだと思《おも》ってしまうのです。

このような人《ひと》は受《う》けた恩《おん》にそむき、他《ほか》の人《ひと》と親《した》しくつきあうことなく、恩《おん》がえしをすることがありません。借《か》りたものをかえさずに、自《じ》分《ぶん》の都合《つごう》ばかり考《かんが》えて、他人《ひと》のものを平気《へいき》でうばいます。このような人《ひと》は、むかしの尊《とうと》い方《かた》やほとけさまの教《おし》えを信《しん》じません。仏道《ぶつどう》を歩《あゆ》んでさとりを開《ひら》くということを信《しん》じません。また、死《し》んだ後《あと》も迷《まよ》い続《つづ》けるということを信《しん》じません。善《よ》いことをしたら善《よ》い結果《けっか》を、悪《わる》いことをしたら悪《わる》い結果《けっか》をひきよせることを信《しん》じないで、聞《き》く耳《みみ》を持《も》ちません。

この人《ひと》たちのこころは悪《あく》でとじふさがってしまっているために、このことを受《う》け止《と》めることができないのです。

このような人《ひと》のすがたは、とても言《い》いつくすことができないほどです。この世《よ》で苦《くる》しむだけでなく次《つぎ》の世《よ》でも、悪《あく》で満《み》ちた世界《せかい》をさまよい続《つづ》け、その迷《まよ》いから出《で》ることができないのです。

これが第五《だいご》の悪《あく》です。しかし、このような悪《わる》い世《よ》の中《なか》にいても、こころを落《お》ち着《つ》けて、誠実《せいじつ》なこころで、身《み》を正《ただ》して阿弥陀《あみだ》さまのおこころを味《あじ》わう人《ひと》は、その身《み》に功徳《くどく》を受《う》けて、ついには阿弥陀《あみだ》さまの国《くに》に生《う》まれることができるのです。これを第五《だいご》の大《おお》いなる善《ぜん》というのです。

お釈迦《しゃか》さまは、このように世《よ》の中《なか》の五《いつ》つの悪《あく》についてくわしく話《はな》し、さらに言葉《ことば》を続《つづ》けて、弥勒菩薩《みろくぼさつ》に向《む》かって言《い》いました。

弥勒《みろく》よ、あなたたちに言《い》っておきたいのです。わたしたちのいる世《よ》の中《なか》はこのようなありさまなのです。このように悪《わる》い人《ひと》たちは、さまざまな悪《わる》い道《みち》におちいって、苦《くる》しんでいるのです。みなさんは阿弥陀《あみだ》さまの教《おし》えをよくよく聞《き》いて、こころを落《お》ち着《つ》け、身《み》をつつしんでください。政治《せいじ》にたずさわる人《ひと》は、善《よ》い行《おこな》いを示《しめ》し人《ひと》びとを導《みちび》いて、人《ひと》びとはこれにならって善《よ》いことをし、他《ほか》の人《ひと》を尊敬《そんけい》し思《おも》いやるこころを大切《たいせつ》にしなければなりません。この世《よ》の中《なか》で、たとえ一日《いちにち》であっても、ひたむきに、誠実《せいじつ》なこころで、努力《どりょく》して善《よ》いことを行《おこな》えば、阿弥《あみ》陀《だ》さまの国《くに》で百年間《ひゃくねんかん》善《よ》いことを行《おこな》うよりも、より多《おお》くの功徳《くどく》を得《え》ることができるのです。なぜなら、善《ぜん》に満《み》ちているほとけさまの国《くに》では、自然《しぜん》に善《よ》いことができますが、悪《あく》で満《み》ちあふれたこの世《よ》の中《なか》で、善《よ》いことをすることはとてもむずかしいからです。だから、この世《よ》でわずか一日《いちにち》でも善《よ》いことをすることが、たいへん尊《とうと》いことになるのです。悪《わる》いことをして得《え》る結果《けっか》のおそろしさを知《し》り、善《よ》いことをして得《え》られる功徳《くどく》を求《もと》めて、ほとけさまの道《みち》を歩《あゆ》もうではありませんか。

阿弥陀《あみだ》さまのおこころをいただいて、ほとけさまの道《みち》を歩《あゆ》む人《ひと》がいる世《よ》の中《なか》は、国《くに》といい町《まち》といい、とてもおだやかです。人《ひと》と人《ひと》はたがいに尊敬《そんけい》し合《あ》い思《おも》いやるこころにあふれ、とても豊《ゆた》かで美《うつく》しく安《やす》らいだ生活《せいかつ》を送《おく》るのです。そこには兵士《へいし》も武器《ぶき》も必要《ひつよう》ありません。政治《せいじ》においてもおたがいを尊敬《そんけい》し合《あ》うように努《つと》めます。

わたしは、世《よ》の中《なか》の人《ひと》たちが、何《なに》が悪《わる》いかということを知《し》らないで、罪《つみ》をつくって自分《じぶん》から苦《くる》しんでいるのを見《み》ると、親《おや》が子《こ》を思《おも》う以上《いじょう》に、とても心配《しんぱい》になります。その人《ひと》たちを見捨《みす》てておくことができなくて、じっとしていられません。だからわたしは、ほとけとなったのです。そして、世《よ》の中《なか》の五《いつ》つの悪《あく》と善《ぜん》を明《あき》らかにし、迷《まよ》い苦《くる》しむ根本《こんぽん》の原因《げんいん》を取《と》りのぞきます。だれもが、ほとけさまになるようにすすめるのです。

お釈迦《しゃか》さまは続《つづ》けて弥勒菩薩《みろくぼさつ》に向《む》かって語《かた》りかけました。

わたしがこの世《よ》を去《さ》った後《あと》、だんだん教《おし》えが見失《みうしな》われ、人《ひと》びとはますます悪《わる》いこころを持《も》ち、世《よ》の中《なか》はいっそうよごれきって、五《いつ》つの悪《あく》がいよいよさかんになるでしょう。だからこそ、わたしは後《のち》の世《よ》を生《い》きる人《ひと》たちのために、ほとけさまの教《おし》えを残《のこ》しておきたいのです。その教《おし》えにであうことで、すべての人《ひと》たちが自分《じぶん》の悪《あく》に気《き》づき、ほとけさまのおこころを見失《みうしな》わず、安《やす》らかであるようにと願《ねが》わずにはいられません。

次《つぎ》にお釈迦《しゃか》さまは、阿難《あなん》に向《む》かって言《い》いました。

阿難《あなん》よ、今《いま》こそ立《た》ち上がり、衣《ころも》を整《ととの》えて手《て》を合《あ》わせ、身《み》を正《ただ》して阿《あ》弥《み》陀《だ》さまをおがみなさい。

そこで阿難《あなん》は、立《た》ち上《あ》がり、身《み》を正《ただ》して、西《にし》に向《む》かって手《て》を合《あ》わせました。

すると、美《うつく》しくまばゆい光《ひかり》が西《にし》の方《ほう》からさっとさしたかと思《おも》うと、その光《ひかり》の真《ま》ん中《なか》に阿弥陀《あみだ》さまがいらっしゃるのが見《み》えました。その光《ひかり》の大《おお》きさは、今《いま》まで見《み》えていた周《まわ》りの山《やま》や川《かわ》、大地《だいち》がかくれてしまうほどで、あたり一面《いちめん》はとても美《うつく》しい光《ひかり》につつまれました。その時《とき》に阿《あ》難《なん》は、その光《ひかり》の真《ま》ん中《なか》にお立《た》ちになっている阿弥陀《あみだ》さまと、宝石《ほうせき》などでかざられた美《うつく》しい浄土《じょうど》のようすをおがむことができました。そして、そこにいた人《ひと》びとは、阿弥陀《あみだ》さまがほがらかな声《こえ》で、あらゆる世界《せかい》にひびきわたるように、ほとけさまの道《みち》をお話《はな》ししていらっしゃるのを聞《き》くことができました。

その時《とき》、弥勒菩薩《みろくぼさつ》は、お釈迦《しゃか》さまに言《い》われて、浄土《じょうど》の人《ひと》びとのようすを見《み》てみると、蓮《はす》の花《はな》につつまれてその中《なか》にすわっている人《ひと》たちと、浄土《じょうど》の中《なか》で自由《じゆう》にのびやかにしている人《ひと》たちがいるのに気《き》づきました。

弥勒菩薩《みろくぼさつ》がそのわけをたずねると、お釈迦《しゃか》さまは次《つぎ》のように話《はな》しました。

もし、さまざまな善《よ》いことや正《ただ》しいことをして、阿弥陀《あみだ》さまの国《くに》に生《う》まれたいと願《ねが》っても、ほとけさまのおこころをうたがうなら、阿弥《あみ》陀《だ》さまのそばに生《う》まれることができても、蓮《はす》の花《はな》の中《なか》につつまれてしまい、阿弥陀《あみだ》さまにお会《あ》いすることも、お話《はなし》を聞《き》くこともできません。なぜなら、その人《ひと》はほとけさまのおこころを信《しん》じることができず、どこかでうたがっているからです。しかし、善《よ》いことや正《ただ》しい行《おこな》いができるのは、すべて阿弥陀《あみだ》さまのはたらきのおかげなのです。このように阿弥陀《あみだ》さまのおこころを信《しん》じる人《ひと》は、浄土《じょうど》に生《う》まれたら、身《み》はのびのびと、こころはほがらかになって、自由自在《じゆうじざい》にほとけさまにお会《あ》いでき、お話《はなし》を聞《き》くことができるのです。

ほとけさまのおこころをうたがう人《ひと》のすがたは、例《たと》えば、王子《おうじ》が王《おう》さまのこころにそむいて自分勝手《じぶんかって》にふるまったために、お城《しろ》の部屋《へや》に金《きん》のくさりでしばられたようなものです。その部屋《へや》はりっぱなものでかざられ、食《た》べものや着《き》るものに何《なに》も不自由《ふじゆう》しない、ここちよい部屋《へや》です。しかし、いつまでも、そこにいればたいくつで、むなしくなるでしょう。このように、どれだけ善《よ》いことをしても、ほとけさまを信《しん》じることがなければ、たいくつな蓮《はす》の花《はな》の部屋《へや》にとじこめられて、いつまでもそこから出《で》ることができないのです。この世《よ》でほとけさまの教《おし》えをよく聞《き》いて、そのおこころをうやまう人《ひと》は、浄土《じょうど》に生《う》まれて、自由《じゆう》にのびのびとすごすことができます。だから、みなさんは何《なに》よりもまず、阿弥陀《あみだ》さまのおこころを信《しん》じ、念仏《ねんぶつ》を称《とな》えて、ほとけさまの道《みち》を歩《あゆ》んでください。

お釈迦《しゃか》さまは続《つづ》けて話《はな》しました。

この世《よ》には、ほとけさまを信《しん》じ、浄土《じょうど》に往《い》き生《う》まれて、自由自在《じゆうじざい》の身《み》を得《え》ることが決《き》まっている六十七億人《ろくじゅうななおくにん》もの、さとりを求《もと》める人《ひと》びとがいます。同《おな》じようにみなさんも、浄土《じょうど》に生《う》まれて自由自在《じゆうじざい》の身《み》となるようにと、阿弥陀《あみだ》さまから願《ねが》われているのです。だからこそ、ひたむきに阿弥陀《あみだ》さまの教《おし》えを信《しん》じ聞《き》いていきましょう。

この世《よ》の人《ひと》たちだけでなく、この世《よ》をふくめた十四《じゅうよん》のほとけさまの国《くに》にいる人《ひと》たち、さらには、あらゆるほとけさまの国《くに》にいる人《ひと》たちもまた、浄土《じょうど》に生《う》まれるのです。このように浄土《じょうど》に生《う》まれる人《ひと》の数《かず》は、何万年《なんまんねん》かけても数《かぞ》えきれないほど多《おお》いのです。あなたもそのようにして生《う》まれるのです。

このように、数限《かずかぎ》りない人《ひと》たちが阿弥陀《あみだ》さまの国《くに》に生《う》まれるのです。みなさんも阿弥陀《あみだ》さまのお名前《なまえ》、南無阿弥陀仏《なむあみだぶつ》を聞《き》くことができ、身《み》にもこころにもよろこびがわき起《お》こって、一声《ひとこえ》でも、南無阿弥陀仏《なむあみだぶつ》と念仏《ねんぶつ》を称《とな》えるだけで、このうえない功徳《くどく》がそなわるのです。だから、たとえこの世《よ》をつつみこむほど燃《も》えさかる大火《たいか》の中《なか》にあっても、それをもとおりぬけて、阿弥陀《あみだ》さまの教《おし》えを求《もと》め、南無阿弥陀仏《なむあみだぶつ》にまでなったほとけさまの願《ねが》いを聞《き》いていかなければなりません。南無阿弥陀《なむあみだ》仏《ぶつ》を聞《き》き称《とな》えることは、このうえなく尊《とうと》い道《みち》なのです。なぜなら南無《なむ》阿弥陀仏《あみだぶつ》は、人間《にんげん》の考《かんが》えや力《ちから》では生《う》み出《だ》すことのできないはたらきがこめられた、ほとけさまのお名前《なまえ》だからです。あなたが今出会《いまであ》うことができた南無阿弥陀仏《なむあみだぶつ》を聞《き》き称《とな》えてください。

わたしは今《いま》、みなさんのために阿弥陀《あみだ》さまと浄土《じょうど》のようすと、はたらきをお話《はな》ししてお見《み》せしました。わたしがこの世《よ》を去《さ》った後《のち》、みなさんがこれらに対《たい》してうたがいを起《お》こすことがあってはいけません。これからずっと先《さき》の世《よ》では、ほとけさまの教《おし》えはなくなってしまい、求《もと》める人《ひと》もいなくなるでしょう。それでも、この南無阿弥陀仏《なむあみだぶつ》の物語《ものがたり》だけは、迷《まよ》い苦《くる》しむ人《ひと》がいるかぎり、どんな時代《じだい》になっても人《ひと》びとのこころにめぐみをあたえ、迷《まよ》いから救《すく》い出《だ》すはたらきを失《うしな》わないでしょう。

ほとけさまが世《よ》にあらわれた時《とき》に、めぐり会《あ》うことはめったになく、その教《おし》えを聞《き》くこともまれです。ましてやほとけさまを信《しん》じることは、とてもむずかしいことです。だからこそ、今《いま》この尊《とうと》い教《おし》えに出会《であ》うことができ、阿弥陀《あみだ》さまの教《おし》えを聞《き》き、信《しん》じてよろこぶ身《み》となったことは、本当《ほんとう》にありがたく幸《しあわ》せなことなのです。わたしは、この阿弥陀《あみだ》さまの教《おし》えを伝《つた》えるためにこの世《よ》に生《う》まれました。そして、わたしの受《う》けとめた阿弥陀《あみだ》さまのおこころのとおり、真実《しんじつ》の教《おし》えをお話《はな》ししました。弥勒《みろく》よ、あなたはこの教《おし》えをはるか未来《みらい》の人《ひと》たちにまで伝《つた》えてください。

このようにお釈迦《しゃか》さまが話《はな》すと、そこに集《あつ》まっていた人《ひと》たちをはじめ、生《い》きとし生《い》けるものは、みんなこのうえないさとりを求《もと》めるこころがおきました。この時《とき》、みんなが将来《しょうらい》かならずほとけとなることに決《き》まりました。すると、あらゆる世界《せかい》はふるえ動《うご》き、大《おお》いなる光《ひかり》が国《くに》という国《くに》をあますことなく照《て》らしかがやかせ、よろこびの音楽《おんがく》があちらこちらから聞《き》こえてきて、数《かぞ》えきれないほどの美《うつく》しい花《はな》びらが大地《だいち》にふりそそぎました。

こうしてお釈迦《しゃか》さまのお話《はなし》が終《お》わると、弥勒菩薩《みろくぼさつ》や阿難《あなん》をはじめ、お釈迦《しゃか》さまのお説法《せっぽう》を聞《き》いて、身《み》もこころもよろこばない人《ひと》は一人《ひとり》もいませんでした。

仏説観無量寿経

ぶっせつかんむりょうじゅきょう

主《おも》な登場人物《とうじょうじんぶつ》　『仏説観無量寿経《ぶっせつかんむりょうじゅきょう》』編《へん》

○お釈迦《しゃか》さま……真理《しんり》に目覚《めざ》めた人《ひと》。韋提希《いだいけ》の涙《なみだ》ながらの願《ねが》いにこたえて、マガダ国《こく》の城《しろ》の奥深《おくふか》くに閉《と》じこめられていた韋提希《いだいけ》の前《まえ》にあらわれる。

○阿闍世《あじゃせ》……マガダ国《こく》の王子《おうじ》。友《とも》だちの提婆達多《だいばだった》にそそのかされ、自分《じぶん》が王《おう》さまになるために父《ちち》を牢獄《ろうごく》に閉《と》じこめ、飢《う》え死《じ》にさせようとする。

○提婆達多《だいばだった》……お釈迦《しゃか》さまのいとこ。のちにお釈迦《しゃか》さまの弟子《でし》になる。お釈迦《しゃか》さまをねたみ、殺《ころ》そうとしたり、教団《きょうだん》をのっとろうとしたりする。自分《じぶん》のたくらみのために、阿闍世《あじゃせ》に近《ちか》づく。

○頻婆娑羅《びんばしゃら》……マガダ国《こく》の王《おう》さま。わが子《こ》の阿闍世《あじゃせ》に反逆《はんぎゃく》され、牢獄《ろうごく》に閉《と》じ込《こ》められてしまう。

○韋提希《いだいけ》……頻婆娑羅《びんばしゃら》の妻《つま》で、阿闍世《あじゃせ》の母《はは》。牢獄《ろうごく》にいる頻婆娑羅《びんばしゃら》に、こっそり食《た》べものを運《はこ》ぶが、そのことを阿闍世《あじゃせ》に知《し》られてしまい、殺《ころ》されそうになる。『観《かん》

『無量寿経《むりょうじゅきょう》』でのお釈迦《しゃか》さまの話《はなし》は、韋提希《いだいけ》の問《と》いに対《たい》して語《かた》られている。

○目連《もくれん》……お釈迦《しゃか》さまの弟子《でし》。お釈迦《しゃか》さまと阿難《あなん》とともに、韋提希《いだいけ》の前《まえ》にあらわれる。お釈迦《しゃか》さまの弟子《でし》の中《なか》で、特別《とくべつ》な能力《のうりょく》「神通力《じんずうりき》」が一番《いちばん》すぐれている。

○富楼那《ふるな》……お釈迦《しゃか》さまの弟子《でし》。ほとけさまの教《おし》えを伝《つた》えるのが誰《だれ》よりも上手《じょうず》。

○月光《がっこう》と耆婆《ぎば》……マガダ国《こく》の大臣《だいじん》たち。母《はは》を剣《けん》で殺《ころ》そうとする阿闍世《あじゃせ》を止《と》める。

○阿難《あなん》……お釈迦《しゃか》さまのいとこ。のちにお釈迦《しゃか》さまの弟子《でし》になる。お釈迦《しゃか》さまと目連《もくれん》とともに、韋提希《いだいけ》の前《まえ》にあらわれる。

◇阿弥陀《あみだ》さま……法蔵菩薩《ほうぞうぼさつ》がすべての人《ひと》を救《すく》いたいという願《ねが》いを達成《たっせい》し、ほとけさまとなったときの名《な》。

◇観世音菩薩《かんぜおんぼさつ》……阿弥陀《あみだ》さまの深《ふか》いおもいやりをあらわす菩薩《ぼさつ》さま。「観音《かんのん》さま」と親《した》しまれている。

◇大勢至菩薩《だいせいしぼさつ》……阿弥陀《あみだ》さまの深《ふか》い智慧《ちえ》をあらわす菩薩《ぼさつ》さま。「勢至《せいし》さま」と親《した》しまれている。

※　○は、実在《じつざい》の人物《じんぶつ》。◇は、お釈迦《しゃか》さまのお話《はなし》の中《なか》に登場《とうじょう》するほとけさまや菩薩《ぼさつ》さま。

『仏説《ぶっせつ》観無量寿経《かんむりょうじゅきょう》』

ある時《とき》、お釈迦《しゃか》さまが、マガダ国《こく》の首都《しゅと》、王舎城《おうしゃじょう》というところの耆《ぎ》闍崛山《しゃくっせん》にいらっしゃったことがありました。

その山《やま》には、お釈迦《しゃか》さまをしたっている弟子《でし》たちが、何万人《なんまんにん》も集《あつ》まっていました。

その時《とき》、王舎城《おうしゃじょう》には阿闍世《あじゃせ》という名《な》の王子《おうじ》がいました。阿闍世《あじゃせ》には、提婆達多《だいばだった》という悪《わる》い友《とも》だちがいました。提婆達多《だいばだった》は、お釈迦《しゃか》さまのいとこで、たいへん悪《わる》いこころをもつ男《おとこ》でした。阿闍世《あじゃせ》に近《ちか》づいて、いつも、物事《ものごと》が自分《じぶん》にとって都合《つごう》のよくなるように、たくらんでいました。

ある日《ひ》、提婆達多《だいばだった》は阿闍世《あじゃせ》に、父《ちち》である頻婆娑羅王《びんばしゃらおう》を殺《ころ》して、早《はや》く王《おう》さまになるようにすすめました。

提婆達多《だいばだった》にそそのかされた阿闍世《あじゃせ》は、父《ちち》の頻婆娑羅王《びんばしゃらおう》を七重《しちじゅう》の壁《かべ》の牢獄《ろうごく》の中《なか》にとじこめてしまいました。阿闍世《あじゃせ》は牢獄《ろうごく》に番人《ばんにん》をつけて、一人《ひとり》たりともその中《なか》に入《い》れないように命《めい》じました。父《ちち》の頻婆娑羅王《びんばしゃらおう》をうえ死《じ》にさせようとしたのです。

頻婆娑羅王《びんばしゃらおう》には、韋提希夫人《いだいけぶにん》というおきさきがいました。韋提希夫《いだいけぶ》人《にん》は、とじこめられた頻婆娑羅王《びんばしゃらおう》を心配《しんぱい》して、自分《じぶん》の体《からだ》に蜜《みつ》をぬり、

韋提希夫人《いだいけぶにん》

かみかざりの中《なか》に飲《の》みものを入《い》れて、ひそかに牢獄《ろうごく》に出入《でい》りしていました。

牢獄《ろうごく》にいる頻婆娑羅王《びんばしゃらおう》は、韋提希夫人《いだいけぶにん》がこっそりもって来《き》てくれる食《た》べものと飲《の》みもののおかげで、体《からだ》をもちこたえていました。しかし、わが子阿闍世《こあじゃせ》によって、こうした苦《くる》しい目《め》にあっていることを思《おも》うと、情《なさ》けなくなりました。頻婆娑羅王《びんばしゃらおう》は、じっとしていられなくなり、はるか遠《とお》くの耆闍崛山《ぎしゃくっせん》に向《む》かって手《て》を合《あ》わせて、お釈迦《しゃか》さまにお願《ねが》いしました。

「どうかお弟子《でし》の目連《もくれん》さまに来《き》ていただき、不安《ふあん》と悲《かな》しみを取《と》りのぞく方法《ほうほう》を授《さず》け、わたしのこころを安《やす》らかにしてくださいませ」

すると、その願《ねが》いがお釈迦《しゃか》さまのおこころにつうじて、神通力《じんずうりき》が一《いち》番《ばん》すぐれた目連《もくれん》と、教《おし》えを伝《つた》えるのが一番《いちばん》じょうずな富楼那《ふるな》が、いっしゅんで空《そら》からやってきました。こうして牢獄《ろうごく》の中《なか》にいながら、こころが安《やす》らかになるお話《はなし》を聞《き》くことができ、頻婆娑羅王《びんばしゃらおう》は顔色《かおいろ》もこころものびのびとしてきました。

それから二《に》、三週間《さんしゅうかん》がたったある日《ひ》、阿闍世《あじゃせ》が牢獄《ろうごく》を見《み》まわりにきて、番人《ばんにん》にたずねました。

「まだ父《ちち》は生《い》きているだろうか」

すると番人《ばんにん》は、

「はい、まだ生《い》きておられます。わたしは一人《ひとり》たりとも入《はい》れないようにしていますが、おきさきさまが、お体《からだ》に蜜《みつ》をぬり、飲《の》みものをかみかざりにかくしてお入《はい》りになって、王《おう》さまに差《さ》しあげておられます」

と答《こた》えました。続《つづ》けて番人《ばんにん》はこう言《い》いました。

「それから、お釈迦《しゃか》さまのお弟子《でし》さまが空《そら》から中《なか》に入《はい》り、頻婆娑羅王《びんばしゃらおう》さまにほとけさまの教《おし》えをお話《はな》ししていらっしゃいます。わたしどもの力《ちから》では、おきさきさまのされることと、お釈迦《しゃか》さまのお弟子《でし》さまのされることは、どうしてもお止《と》めすることができません」

阿闍世《あじゃせ》は、番人《ばんにん》の話《はなし》を聞《き》いて、むっと腹《はら》をたててこう言《い》いました。

「わが母《はは》がにくい。だれも入《はい》ることが許《ゆる》されぬ牢獄《ろうごく》の中《なか》に入《はい》るというのは、母《はは》は反逆者《はんぎゃくしゃ》である！ その反逆者《はんぎゃくしゃ》とともに父《ちち》に話《はなし》をして聞《き》かせている釈迦《しゃか》の弟子《でし》は悪人《あくにん》である！ 反逆者《はんぎゃくしゃ》や悪人《あくにん》が父《ちち》を生《い》かしているのは許《ゆる》せない！」

阿闍世《あじゃせ》は、そのまま韋提希夫人《いだいけぶにん》の所《ところ》へ走《はし》っていき、剣《けん》をぬいて自分《じぶん》の母《はは》を殺《ころ》そうとしました。

そのすがたを見《み》た大臣《だいじん》の月光《がっこう》と耆婆《ぎば》は、阿闍世《あじゃせ》に言《い》いました。

「王位欲《おういほ》しさに父《ちち》を殺《ころ》した悪《わる》い王《おう》さまは、むかし、たくさんいたと聞《き》いています。しかし、これまで王族《おうぞく》の道《みち》をはずれて、母親《ははおや》を殺《ころ》した王《おう》さまがいたということは、聞《き》いたことがありません。いまお母《かあ》さまを殺《ころ》すなら、あなたは王族《おうぞく》の道《みち》にそむくことになります。そうなれば、あなたとここにいることはできません(注)」

阿闍世《あじゃせ》は、二人《ふたり》の言葉《ことば》にこおりつき、剣《けん》をすて殺《ころ》すことを思《おも》いとどまりました。しかし、すぐに家臣《かしん》に命令《めいれい》して、韋提希夫人《いだいけぶにん》を宮殿《きゅうでん》の中《なか》の一番《いちばん》おく深《ふか》い部屋《へや》にとじこめて、外《そと》に出《で》られないようにしました。

とじこめられた韋提希夫人《いだいけぶにん》は、くやしくて、悲《かな》しくて、いらだってばかりでした。しかしふと、むかし、お釈迦《しゃか》さまのところから弟子《でし》の阿難《あなん》が来《き》て、なぐさめてくれたことを思《おも》い出《だ》し、はるか遠《とお》くの耆闍崛《ぎしゃくっ》山《せん》に向《む》かって手《て》を合《あ》わせました。

「お釈迦《しゃか》さま、わたしは今《いま》、悲《かな》しくてしかたがありません。苦《くる》しくてたまりません。お願《ねが》いでございます。あなたさまに来《き》ていただくのは恐《おそ》れ多《おお》いので、お弟子《でし》の目連《もくれん》さんと阿難《あなん》さんにここへ来《き》ていただき、わたしの苦《くる》しいこころが安《やす》らかになるようお話《はな》ししていただきたいのです」

韋提希夫人《いだいけぶにん》は、なみだを流《なが》しながら、頭《あたま》を地面《じめん》につけてお願《ねが》いしました。

すると、お釈迦《しゃか》さまは、韋提希夫人《いだいけぶにん》の気持《きも》ちに気《き》づき、耆闍崛山《ぎしゃくっせん》から、目連《もくれん》と阿難《あなん》をつれて、空《そら》から部屋《へや》にあらわれました。

注　子《こ》どもとともに本書《ほんしょ》を読《よ》んでくださる方《かた》へ（214ページ）

韋提希夫人《いだいけぶにん》が頭《あたま》を上《あ》げると、目《め》の前《まえ》には光《ひか》りかがやくお釈迦《しゃか》さまのすがたと、その左《ひだり》に目連《もくれん》、右《みぎ》に阿難《あなん》がいるのが見《み》えました。お釈迦《しゃか》さまのからだのまわりには、どこからともなく、美《うつく》しい花《はな》がちらちらと舞《ま》い散《ち》っていました。

韋提希夫人《いだいけぶにん》は、その美《うつく》しいすがたを見《み》るなり、ひれふして、なみだ声《ごえ》でさけびました。

「お釈迦《しゃか》さま！　わたしはどんな罪《つみ》があって、こんなおそろしい悪《わる》い子《こ》を産《う》んだのでしょうか。どうして、わたしの子《こ》をそそのかすような悪人《あくにん》の提婆達多《だいばだった》が、お釈迦《しゃか》さまのいとこなのでしょうか。お釈迦《しゃか》さま、どうぞ、わたしのために、苦《くる》しみや、なやみのないところがありましたら教《おし》えてください。そこに生《う》まれとうございます。わたしは、この世《よ》がいやになりました。この世《よ》はおそろしいところです。わたしはもう、おそろしい言葉《ことば》を聞《き》きたくありません。悪人《あくにん》を見《み》たくありません。きよらかな世界《せかい》に生《う》まれとうございます」

韋提希《いだいけ》が体《からだ》を地面《じめん》に投《な》げうち語《かた》った、この言葉《ことば》を聞《き》いたお釈迦《しゃか》さまは、眉間《みけん》から美《うつく》しい光《ひかり》を放《はな》たれました。すると、またたく間《ま》に、光《ひかり》の中《なか》にいろいろなほとけさまの国々《くにぐに》があらわれました。

あらわれたほとけさまの国々《くにぐに》を思《おも》わずおがんだ韋提希夫人《いだいけぶにん》は、お釈《しゃ》迦《か》さまに向《む》かってこう言《い》いました。

「ほとけさま方《がた》の国々《くにぐに》は、どれもきよらかで光《ひか》りかがやいていますが、わたしは阿弥陀《あみだ》さまの国《くに》に生《う》まれたいのでございます。お釈迦《しゃか》さま、どうしたら阿弥陀《あみだ》さまの国《くに》に生《う》まれることができますでしょうか。どうかそれを教《おし》えていただきとうございます」

韋提希夫人《いだいけぶにん》の願《ねが》いをお釈迦《しゃか》さまは静《しず》かに聞《き》き、口《くち》をわずかに開《ひら》いてほほえみました。すると、お釈迦《しゃか》さまの口《くち》から五色《ごしょく》の光《ひかり》が出《で》てきました。光《ひかり》は七重《しちじゅう》の壁《かべ》の牢獄《ろうごく》にもとどき、韋提希夫人《いだいけぶにん》だけではなく頻婆娑羅王《びんばしゃらおう》もこの光《ひかり》を見《み》ることができました。韋提希夫人《いだいけぶにん》と頻婆娑羅王《びんばしゃらおう》は、はなれた場所《ばしょ》にいながら、この光《ひかり》に照《て》らされただけで、こころがとても安《やす》らかになりました。

お釈迦《しゃか》さまは、韋提希夫人《いだいけぶにん》に話《はな》しました。

あなたは、阿弥陀《あみだ》さまは、遠《とお》いところにいらっしゃると思《おも》っているかもしれませんが、そうではありません。あなたが今《いま》、こころを静《しず》かにして、阿弥陀《あみだ》さまを深《ふか》く思《おも》いうかべるようになれば、阿弥陀《あみだ》さまは、こころにあらわれてくださいます。

わたしは今《いま》から、その阿弥陀《あみだ》さまをどのようにして、こころに思《おも》いうかべ、そして阿弥陀《あみだ》さまの国《くに》に生《う》まれることができるのか、あなたにお話《はな》ししましょう。それは、あなただけではなく、これから生《う》まれてくるすべての人《ひと》びとが阿弥陀《あみだ》さまの国《くに》に生《う》まれることのできる道《みち》なのです。

阿弥陀《あみだ》さまの国《くに》に生《う》まれようと思《おも》うなら、次《つぎ》の三《みっ》つのことをしなければなりません。

一《ひと》つには、父母《ふぼ》に孝行《こうこう》をし、教《おし》え導《みちび》いてくれる方《かた》をうやまい、愛情《あいじょう》深《ぶか》くやさしいこころになり、生《い》きものをかわいがり、善《よ》いことをするようこころがけることです。

二《ふた》つには、ほとけさまと、ほとけさまの教《おし》え、その教《おし》えを伝《つた》えてくれる人《ひと》を大切《たいせつ》にし、行動《こうどう》に気《き》をつけ、欲張《よくば》らないようにすることです。

三《みっ》つには、ほとけさまになりたいと願《ねが》い、悪《わる》いことをすれば悪《わる》い結《けっ》果《か》がある、善《よ》いことをすれば善《よ》い結果《けっか》があると信《しん》じて、あらゆる者《もの》を救《すく》う教《おし》えの本《ほん》を読《よ》んで、行動《こうどう》することです。

この三《みっ》つの事《こと》を、きよらかな行《おこな》いと言《い》います。韋提希《いだいけ》よ、この三《みっ》つの行《おこな》いは、いつの世《よ》でもどんなほとけさまでも、おすすめになる、きよらかな行《おこな》いであり、ほとけさまになるきよらかなもとなのです。

お釈迦《しゃか》さまは、韋提希夫人《いだいけぶにん》と阿難《あなん》にさらに言葉《ことば》を続《つづ》けました。

韋提希《いだいけ》よ、しっかりお聞《き》きなさい。そしてよくよく考《かんが》えてごらん。わたしは、今《いま》こころがみだれて苦《くる》しんでいる人《ひと》びとのために、きよらかな阿弥陀《あみだ》さまの国《くに》に生《う》まれることのできる方法《ほうほう》をお話《はな》ししているのです。

あなたは弱《よわ》く小《ちい》さな存在《そんざい》です。そのこころでは、きよらかなほとけさまの国々《くにぐに》を見《み》られるはずがありません。それが今《いま》、目《め》の前《まえ》にたくさんのほとけさまの国々《くにぐに》を見《み》ることができているのは、あなたの力《ちから》ではなく、ほとけさまたちのお力《ちから》なのです。

韋提希夫人《いだいけぶにん》は、お釈迦《しゃか》さまのお言葉《ことば》を聞《き》くなり、こう言《い》いました。

「そのとおりでございます、お釈迦《しゃか》さま。わたしのような罪《つみ》の深《ふか》い者《もの》が、美《うつく》しいほとけさまの国々《くにぐに》を見《み》ることができたのは、ほとけさまのお力《ちから》のおかげです。わたしと同《おな》じように、お釈迦《しゃか》さまが亡《な》くなられた後《あと》、この世《よ》に生《う》まれてきた人《ひと》びとにも、阿弥陀《あみだ》さまの国《くに》を見《み》ることができるように、方法《ほうほう》を教《おし》えていただきたいのです」

お釈迦《しゃか》さまは、次《つぎ》のように話《はな》しました。

韋提希《いだいけ》よ、これから、阿弥陀《あみだ》さまの国《くに》を見《み》る方法《ほうほう》を、一《ひと》つずつお話《はな》ししていきましょう。

一番目《いちばんめ》に、西《にし》に沈《しず》むお日《ひ》さまを思《おも》う「日想観《にっそうかん》」からはじめます。人間《にんげん》のこころは、いろいろとみだれやすいですから、じっと一《ひと》つの場所《ばしょ》に集中《しゅうちゅう》するための第一歩《だいいっぽ》です。お日《ひ》さまが西《にし》の方《ほう》にしずむ時《とき》、西《にし》の方《ほう》角《がく》に向《む》かって正《ただ》しくすわり、じっとながめて、こころをほかのことに移《うつ》さないようにします。そうしていると、お日《ひ》さまが、ちょうどかくれる時《とき》に、大《おお》きな美《うつく》しい色《いろ》をした鼓《つづみ》が空《そら》にかかっているように見《み》えてきます。そして静《しず》かに目《め》をとじて、しばらくたってから、静《しず》かに目《め》を開《ひら》くのです。その時《とき》には、目《め》もこころも、とてもきよらかになっています。これを一番目《いちばんめ》の「日想観《にっそうかん》」と言《い》うのです。

二番目《にばんめ》は水《みず》を思《おも》う「水想観《すいそうかん》」です。「日想観《にっそうかん》」で静《しず》まったこころで、今度《こんど》は、きよらかな水面《みなも》をじっとながめて、ほかのことにこころを移《うつ》さないようにするのです。水《みず》をじっと見《み》ながら、こころの中《なか》で、水《みず》が一面氷《いちめんこおり》となった時《とき》のことを思《おも》いうかべるのです。氷《こおり》に美《うつく》しいさまざまな色《いろ》がうつるようすを思《おも》いうかべ、一番美《いちばんうつく》しい色《いろ》をこころに思《おも》うと、氷《こおり》の一面《いちめん》が瑠璃《るり》の色《いろ》のように思《おも》えてきます。そうすると、それがすきとおった瑠璃《るり》の大地《だいち》のように想像《そうぞう》できて、大地《だいち》の下《した》に、金《きん》の柱《はしら》が、たくさん並《なら》んでいるように思《おも》われてきます。柱《はしら》は八角形《はっかっけい》になっていて、一面一面《いちめんいちめん》がいろいろな宝《たから》でできています。どの面《めん》も光《ひか》りかがやいていて、光《ひかり》の色《いろ》が何万何千色《なんまんなんぜんしょく》のように見《み》えてきます。その光《ひかり》が瑠璃《るり》の大地《だいち》の上《うえ》にうつると、何億《なんおく》というお日《ひ》さまが同時《どうじ》に出《で》てきたようで、まともに見《み》ることはとてもできません。瑠璃《るり》の大地《だいち》の上《うえ》は、金《きん》の縄《なわ》があちらこちらにあり、たくさんの色《いろ》の宝石《ほうせき》でふち取《ど》りがされています。そしてその宝石《ほうせき》から五百色《ごひゃくしょく》の光《ひかり》が出《で》て、花《はな》のように見《み》えたり、月《つき》や星《ほし》のように見《み》えたりします。

　そうかと思《おも》うと、その光《ひかり》が空中《くうちゅう》にのぼっていって、光明台《こうみょうだい》となり、中《なか》には千万《せんまん》の宮殿《きゅうでん》ができて、たくさんの宝《たから》でいっぱいになっています。

光明台《こうみょうだい》の両方《りょうほう》には、百億《ひゃくおく》の花《はな》でいっぱいになった旗《はた》があり、そこには数《かぞ》えられないほどの楽器《がっき》があります。きよらかな八色《はっしょく》の風《かぜ》が、光明《こうみょう》台《だい》の光《ひかり》の中《なか》からふいてきて、楽器《がっき》にあたると、とてもすずやかな音《おと》がして、ほとけさまの教《おし》えを伝《つた》えます。これを二番目《にばんめ》の「水想観《すいそうかん》」と言《い》うのです。

三番目《さんばんめ》は大地《だいち》を思《おも》う「地想観《じそうかん》」です。これは「水想観《すいそうかん》」が深《ふか》まったものです。「水想観《すいそうかん》」でお話《はな》ししたように、水《みず》から氷《こおり》、氷《こおり》から大地《だいち》へと、だんだん思《おも》いうかべていくと、阿弥陀《あみだ》さまの国《くに》の大地《だいち》を見《み》ることができるようになります。見《み》ることができたら、静《しず》かに目《め》をとじて、また静《しず》かに目《め》を開《ひら》くと、こころがみだれないで、よりはっきりと見《み》えるようになってきます。ねむっている時《とき》以外《いがい》は、阿弥陀《あみだ》さまの国《くに》の大《だい》地《ち》をおがむこころをなくしてはなりません。その大地《だいち》はとても美《うつく》しく、言葉《ことば》で言《い》いあらわすことができません。

世《よ》の中《なか》の苦《くる》しみになやんでいる人《ひと》は、この「地想観《じそうかん》」で、苦《くる》しみから、のがれることができます。うたがうことなく見《み》ることができる者《もの》は、八十億劫《はちじゅうおくこう》もの罪《つみ》が消《き》えて、ついにはきよらかな阿弥陀《あみだ》さまの国《くに》に生《う》まれることができるのです。これを三番目《さんばんめ》の「地想観《じそうかん》」と言《い》うのです。

四番目《よんばんめ》は宝《たから》の木《き》を思《おも》う「宝樹観《ほうじゅかん》」です。これは阿弥陀《あみだ》さまの国《くに》の美《うつく》しい宝《たから》でできた多《おお》くの木《き》を思《おも》いうかべることができることを言《い》うのです。その宝《たから》の木《き》は、見《み》わたすかぎりの並木《なみき》になっていて、それが何列《なんれつ》もならんでいます。並木《なみき》の上《うえ》には真珠色《しんじゅいろ》の美《うつく》しい網《あみ》がおおっています。

網《あみ》は七重《しちじゅう》にもなり、間《あいだ》には数《かぞ》えきれないほどの御殿《ごてん》が見《み》えます。

その御殿《ごてん》の中《なか》には、美《うつく》しい天人《てんにん》のような小《ちい》さい子《こ》どもが、きれいな着物《きもの》をきて遊《あそ》んでいます。頭《あたま》には摩尼《まに》という美《うつく》しい玉《たま》でつくったかみかざりをつけています。摩尼《まに》の玉《たま》の光《ひかり》は、まぶしいほどで、何百里《なんびゃくり》という遠《とお》いところまで照《て》らしています。

とても美《うつく》しい木《き》で、りっぱな並木《なみき》です。よく見《み》れば、その幹《みき》も葉《は》も美《うつく》しくきれいです。かがやいている花《はな》には、いつの間《ま》にか、七《なな》つの宝《たから》でできた木《き》の実《み》がついています。その木《き》からは大《おお》きな光《ひかり》が出《で》て、美《うつく》しい旗《はた》や宝《たから》のかさのようにも見《み》えます。その中《なか》に、阿弥陀《あみだ》さまのはたらきや、国《くに》が見《み》えるのです。これを四番目《よんばんめ》の「宝樹観《ほうじゅかん》」と言《い》うのです。

五番目《ごばんめ》は、宝《たから》の池《いけ》を思《おも》う「宝池観《ほうちかん》」です。これは、「水想観《すいそうかん》」のこころが深《ふか》まって、阿弥陀《あみだ》さまの国《くに》の池《いけ》の水《みず》を思《おも》いうかべることです。阿弥陀《あみだ》さまの国《くに》には、八《やっ》つの池《いけ》があります。その一《ひと》つひとつの池《いけ》の水《みず》は、七《なな》つの宝《たから》でできていて、やわらかくとろけています。池《いけ》は十四《じゅうよん》の川《かわ》すじに分《わ》かれていて、どの川《かわ》の水《みず》も、七《なな》つの宝《たから》の色《いろ》をしています。

そして川《かわ》の底《そこ》には、金《きん》のすながしきつめられています。

池《いけ》にも川《かわ》にも、何十億《なんじゅうおく》もの七宝色《しっぽういろ》をした蓮《はす》が植《う》えてあります。蓮《はす》の花《はな》は、どれも大《おお》きくてりっぱにさいていて、美《うつく》しい宝石《ほうせき》のようにキラキラかがやく水《みず》が、ゆるやかに流《なが》れています。その水《みず》は、何《なん》とも言《い》えないやさしい音《おと》で流《なが》れています。聞《き》いていると、阿弥陀《あみだ》さまの教《おし》えを聞《き》く時《とき》と同《おな》じように、すがすがしいこころになってきます。

池《いけ》の水《みず》からは、金色《こんじき》の美《うつく》しく明《あか》るい光《ひかり》がわき出《で》ています。光《ひかり》がとても美《うつく》しい鳥《とり》となって、やわらかい、ほがらかな声《こえ》で鳴《な》きます。そしていつの間《ま》にか、阿弥陀《あみだ》さまの教《おし》えと、教《おし》えを伝《つた》えてくださる方々《かたがた》をほめ讃《たた》える鳴《な》き声《ごえ》になるのです。これを五番目《ごばんめ》の「宝池観《ほうちかん》」と言《い》うのです。

六番目《ろくばんめ》は、「宝楼観《ほうろうかん》」です。いろいろな宝《たから》からできた阿弥陀《あみだ》さまの国《くに》には、五百億《ごひゃくおく》というたくさんの楼閣《ろうかく》があります。それはお城《しろ》のような建物《たてもの》です。その楼閣《ろうかく》を見《み》るのが「宝楼観《ほうろうかん》」です。多《おお》くの楼閣《ろうかく》の中《なか》には、数《かぞ》えきれないほど多《おお》くの天人《てんにん》がいて、いろいろな音楽《おんがく》を演奏《えんそう》しています。外《そと》には、空中《くうちゅう》にたくさんの楽器《がっき》がうかんでいます。まるで、天《てん》から美《うつく》しい旗《はた》が垂《た》れさがっているようです。楽器《がっき》は、だれかが演奏《えんそう》しなくても、ひとりでに美《うつく》しい音楽《おんがく》をならします。その音《おと》は、阿弥陀《あみだ》さまの教《おし》えを伝《つた》え聞《き》かせてくれる人《ひと》たちに近《ちか》づけてくれます。このように見《み》えてくるのを「宝楼観《ほうろうかん》」と言《い》うのです。

この「宝楼観《ほうろうかん》」までできるようになると、阿弥陀《あみだ》さまの国《くに》のほとんどのすがたが、見《み》えてくるのです。そして長《なが》い間《あいだ》の悪《わる》い罪《つみ》が消《き》えて、ついには阿弥陀《あみだ》さまの国《くに》に生《う》まれることができるのです。これを六番《ろくばん》目《め》の「宝楼観《ほうろうかん》」と言《い》うのです。

これまでお話《はな》ししてきたようにこころに思《おも》いうかべるのが、正《ただ》しい方法《ほうほう》です。いくらこころを静《しず》めても、ほかのことを見《み》たり思《おも》いうかべたりすると、ほとけさまに近《ちか》づくことはできません。

お釈迦《しゃか》さまは、このように話《はな》しました。そして、これからが大事《だいじ》なことであると、阿難《あなん》と韋提希夫人《いだいけぶにん》に続《つづ》けて言《い》いました。

さあ、よく聞《き》きなさい。そしてよく考《かんが》えてください。わたしは、これからさらに大切《たいせつ》な、人間《にんげん》のなやみや苦《くる》しみを取《と》りのぞく道《みち》を伝《つた》えます。あなた方《がた》は、このことをよく覚《おぼ》えておいて、たくさんの人《ひと》たちに聞《き》かせてあげてください。

こうお釈迦《しゃか》さまが話《はな》したかと思《おも》うと、どこからともなく光《ひかり》がさっとさしてきて、阿弥陀《あみだ》さまが、空中《くうちゅう》に立《た》っているのが見《み》えました。阿弥《あみ》陀《だ》さまの左右《さゆう》には、観世音菩薩《かんぜおんぼさつ》と大勢至菩薩《だいせいしぼさつ》という菩薩《ぼさつ》さまがいっしょにいます。そのかがやかしさと尊《とうと》さは、どんなものとも比《くら》べようもありません。じっとおがんでいることができないほど、かがやかしいおすがたです。

韋提希夫人《いだいけぶにん》は、阿弥陀《あみだ》さまを見《み》ることができたのを不思議《ふしぎ》に思《おも》い、お釈迦《しゃか》さまにこうたずねました。

「お釈迦《しゃか》さま、わたしは今《いま》、お釈迦《しゃか》さまのお力《ちから》で、阿弥陀《あみだ》さまとお二人《ふたり》の菩薩《ぼさつ》さまを見《み》ておがむことができました。しかし、これから後《のち》に生《う》まれてくる人《ひと》びとは、どのようにして見《み》ることができるのでしょうか」

すると、お釈迦《しゃか》さまは、次《つぎ》のように話《はな》しました。

韋提希《いだいけ》よ、阿弥陀《あみだ》さまを目《め》の前《まえ》で見《み》るためには、次《つぎ》の七番目《ななばんめ》に、「華座観《けざかん》」を行《おこな》うのです。

まず、阿弥陀《あみだ》さまの国《くに》の大地《だいち》の上《うえ》にさく蓮《はす》の花《はな》を思《おも》いなさい。その蓮《はす》の花《はな》びらは、何百《なんびゃく》という宝《たから》の色《いろ》で光《ひか》りかがやいています。花《はな》びらには、まるで美《うつく》しい文字《もじ》のように八万四千《はちまんよんせん》の脈《みゃく》がきれいに入《はい》り、八万四《はちまんよん》千色《せんしょく》もの光《ひかり》を放《はな》っています。花《はな》びらの大《おお》きさは、一番小《いちばんちい》さいものでも二百五十里《にひゃくごじゅうり》あります。一《ひと》つの蓮《はす》には、八万四千《はちまんよんせん》のたくさんの花《はな》びらがついているのです。花《はな》びらと花《はな》びらの間《あいだ》には、百億《ひゃくおく》の宝《たから》があり光《ひか》っています。光《ひかり》は千色《せんしょく》にもなってかがやいています。

この蓮《はす》の上《うえ》には、いろいろな宝《たから》で作《つく》られた台《だい》があります。台《だい》の上《うえ》には、四本《よんほん》の美《うつく》しい旗《はた》が立《た》っています。旗《はた》は、五百億《ごひゃくおく》の宝《たから》でかざられています。それぞれの旗《はた》のかざりからは、八万四千《はちまんよんせん》の光《ひかり》が出《で》ていて、その一《ひと》つひとつの光《ひかり》からは、また八万四千色《はちまんよんせんしょく》のそれぞれちがう金色《こんじき》になってかがやき、国中《くにじゅう》を照《て》らしています。それは阿弥陀《あみだ》さまの国《くに》だけでなく、あちこちの国《くに》を照《て》らしているのです。光《ひか》りがかがやくと、金色《こんじき》の台座《だいざ》ができたり、真珠《しんじゅ》の網《あみ》になったり、花《はな》の雲《くも》になったりして、自《じ》由自在《ゆうじざい》にいろいろな形《かたち》ができ、自然《しぜん》に阿弥陀《あみだ》さまの教《おし》えを伝《つた》えます。これを七番目《ななばんめ》の「華座観《けざかん》」と言《い》うのです。

この蓮《はす》の花《はな》びらは、かつて法蔵菩薩《ほうぞうぼさつ》がほとけさまになろうと願《ねが》われた時《とき》に作《つく》られたものです。阿弥陀《あみだ》さまをおがもうと思《おも》うのであれば、まずは、阿弥陀《あみだ》さまがおられる花《はな》の台座《だいざ》を見《み》なければなりません。そしてそれはまるで鏡《かがみ》にうつった自分《じぶん》を見《み》るように、一《ひと》つひとつの花《はな》びら、一《ひと》つひとつの宝《たから》、一《ひと》つひとつの光《ひかり》、一《ひと》つひとつの台《だい》、一《ひと》つひとつの旗《はた》まではっきりと見《み》えてくるようにならなければなりません。そのように見《み》えてくると、その人《ひと》は、長《なが》い間《あいだ》の罪《つみ》が消《き》えて、阿弥陀《あみだ》さまの国《くに》へ生《う》まれることができるようになるのです。

お釈迦《しゃか》さまは、続《つづ》けて話《はな》しました。

阿弥陀《あみだ》さまの立《た》っているところが見《み》えるようになれば、八番目《はちばんめ》に、おすがたを見《み》る「像観《ぞうかん》」を行《おこな》うのです。

ほとけさまは、どんな人《ひと》びとのこころの中《なか》にも入《はい》ってくださいます。だから、みなさんがほとけさまを思《おも》う時《とき》には、こころにおすがたがあらわれます。ほとけさまを思《おも》うこころに応《おう》じて、ほとけさまがあらわれるのです。そのこころから、はなれずよりそうのが、ほとけさまなのです。さとりの世界《せかい》は、ほとけさまを思《おも》うわたしたちのこころに、はたらきかけるのです。ですから、こころの中《なか》に、はっきりとほとけさまが見《み》えるようにしなければならないのです。そのためには、まずほとけさまのすがたかたちを思《おも》いうかべるのです。

静《しず》かに目《め》をとじて、蓮《はす》の上《うえ》に、金色《こんじき》の阿弥陀《あみだ》さまがすわっていることを思《おも》いうかべなさい。それが見《み》えるようになると、初《はじ》めてわたしたちのこころは、きよくすみきってきます。

そうすると、阿弥陀《あみだ》さまのすがたかたちの上《うえ》に、いろいろなかざりがいっぱいならんでいるのが、はっきりと見《み》えてきます。そしてまた、阿弥陀《あみだ》さまの左右《さゆう》にある蓮《はす》の花《はな》を思《おも》いなさい。左《ひだり》の蓮《はす》の花《はな》の上《うえ》には観《かん》世音菩薩《ぜおんぼさつ》が、右《みぎ》の蓮《はす》の花《はな》の上《うえ》には大勢至菩薩《だいせいしぼさつ》がすわっていて、金色《こんじき》に光《ひか》りかかがやいています。

阿弥陀《あみだ》さまも二人《ふたり》の菩薩《ぼさつ》さまも、美《うつく》しい光《ひかり》を放《はな》って、浄土《じょうど》の宝《たから》の木々《きぎ》を照《て》らしています。その一《ひと》つひとつの木《き》の下《した》に、三《みっ》つの蓮《はす》の花《はな》があります。その蓮《はす》の花《はな》の上《うえ》に、また阿弥陀《あみだ》さまと二人《ふたり》の菩薩《ぼさつ》さまがすわっています。このように浄土《じょうど》はほとけさまと二人《ふたり》の菩薩《ぼさつ》さまのおすがたで満《み》ちています。

このように思《おも》いうかべることができるようになると、水《みず》の流《なが》れや木《き》のゆれ、鳥《とり》の鳴《な》く声《こえ》が、すべて阿弥陀《あみだ》さまの教《おし》えを話《はな》しているように聞《き》こえてくるのです。

これを八番目《はちばんめ》の「像観《ぞうかん》」と言《い》うのです。像観《ぞうかん》をした人《ひと》は、たくさんの罪《つみ》がなくなって、念仏《ねんぶつ》をする気持《きも》ちがわきあがってくるのです。

九番目《きゅうばんめ》は「真身観《しんしんかん》」です。さきほどの「像観《ぞうかん》」では、阿弥陀《あみだ》さまのすがたかたちを思《おも》いうかべました。こんどは、阿弥陀《あみだ》さまが本当《ほんとう》にわたしたちの目《め》の前《まえ》にあらわれてくださっているように、もっとはっきりと思《おも》いうかべるのです。

阿弥陀《あみだ》さまのおからだは、みごとな金色《こんじき》にかがやいていて、背《せ》の高《たか》さは六十万億那由他恒河沙由旬《ろくじゅうまんおくなゆたごうがしゃゆじゅん》*と言《い》われる、とてつもない大《おお》きさです。そして、阿弥陀《あみだ》さまの右《みぎ》の眉毛《まゆげ》と左《ひだり》の眉毛《まゆげ》の間《あいだ》にある白毫《びゃくごう》という白《しろ》い毛《け》は、ぐるりと右《みぎ》の方《ほう》へのびていて、その長《なが》さは世界中《せかいじゅう》で一番大《いちばんおお》きい山《やま》を五《いつ》つも集《あつ》めたくらいあります。眼《まなこ》はすみきっていて、まるで大《おお》きな海《うみ》の水《みず》のようです。全身《ぜんしん》の毛《け》あなからは、美《うつく》しい光《ひかり》が明《あか》るく照《て》らしています。その光《ひかり》は、ありとあらゆる世界《せかい》を、すみずみまで照《て》らしています。光《ひかり》の中《なか》には、何百万億《なんびゃくまんおく》という数《かぞ》えきれないほどたくさんのほとけさまがおられます。そのお一人《ひとり》おひとりのほとけさまにも、数《かぞ》えきれないほどたくさんの菩薩《ぼさつ》さま方《がた》が、さまざまなすがたをして、つきそっています。

このように阿弥陀《あみだ》さまは、お一人《ひとり》で八万四千《はちまんよんせん》ものたくさんのおすがたで、目《め》の前《まえ》にあらわれてくださいます。また、一《ひと》つひとつのおすがたには、八万四千《はちまんよんせん》とおりの特長《とくちょう》があります。さらに、どのおすがたから も、八万四千《はちまんよんせん》とおりの光《ひかり》が出《で》ています。一《ひと》つひとつの光《ひかり》は、すべての世界《せかい》をどこまでも照《て》らしています。阿弥陀《あみだ》さまは、阿弥陀《あみだ》さまのお名前《なまえ》である、南無阿弥陀仏《なむあみだぶつ》を称《とな》える人《ひと》びとをみんな救《すく》って、だれ一人《ひとり》として見捨《みす》てることはありません。この光《ひかり》のことをくわしくお話《はな》しすることは、とてもできませんが、こころを静《しず》めて、じっと思《おも》いをこらして見《み》ると、このように阿弥陀《あみだ》さまのおすがたが、うかんでくるのです。阿弥陀《あみだ》さまのおすがたが、こころにうかんでくる人《ひと》は、同時《どうじ》に、あらゆるほとけさまのおすがたを見《み》ることができます。ひたすらに念《ねん》

＊那由他恒河沙由旬《なゆたごうがしゃゆじゅん》　那由他《なゆた》は、インドの数《かず》の単位《たんい》。中国語訳《ちゅうごくごやく》で「兆《ちょう》」などと訳《やく》す。恒河沙《ごうがしゃ》は、ガンジス川《がわ》の砂《すな》の数《かず》ほど多《おお》いこと。由旬《ゆじゅん》は、インドの距離《きょり》の単位《たんい》。約《やく》7キロメートル。

仏《ぶつ》を称《とな》える人《ひと》は、こころが静《しず》かになって、あらゆるほとけさまのすがたが、思《おも》いうかんでくるのです。阿弥陀《あみだ》さまのおすがたを見《み》ることができる人《ひと》は、同時《どうじ》に阿弥陀《あみだ》さまのおこころを知《し》ることができます。それは、とても愛情深《あいじょうぶか》くやさしく、悲《かな》しみの深《ふか》いおこころです。阿弥陀《あみだ》さまは、どんな人《ひと》にでも手《て》を差《さ》しのべて救《すく》ってくださいます。

阿弥陀《あみだ》さまのおすがたとおこころを思《おも》いうかべられる人《ひと》は、どんなほとけさまのところにも生《う》まれることができます。すべてのなやみから解放《かいほう》されて、さとりの智慧《ちえ》を得《え》ることができるのです。ですからいつでも、阿弥陀《あみだ》さまを思《おも》いうかべてください。まず阿弥陀《あみだ》さまの右《みぎ》の眉毛《まゆげ》と左《ひだり》の眉毛《まゆげ》の間《あいだ》にある白毫《びゃくごう》を思《おも》いうかべれば、あとは自然《しぜん》に全体《ぜんたい》のおすがたを見《み》ることができます。これを九番目《きゅうばんめ》の「真身観《しんしんかん》」と言《い》うのです。

また、お釈迦《しゃか》さまは次《つぎ》のように言《い》いました。

阿難《あなん》よ、韋提希《いだいけ》よ、阿弥陀《あみだ》さまを思《おも》いうかべることができるようになると、次《つぎ》は観世音菩薩《かんぜおんぼさつ》を見《み》るために十番目《じゅうばんめ》の「観音観《かんのんかん》」を行《おこな》います。観世音菩薩《かんぜおんぼさつ》は、大勢至菩薩《だいせいしぼさつ》とともに、いつも阿弥陀《あみだ》さまといっしょにおられるお方《かた》です。阿弥陀《あみだ》さまを見《み》ることができるようになると、自然《しぜん》に観世音菩薩《かんぜおんぼさつ》も見《み》ることができるのです。

観世音菩薩《かんぜおんぼさつ》は、阿弥陀《あみだ》さまと同《おな》じぐらい大《おお》きく、光《ひか》りかがやいています。両手《りょうて》の十本《じっぽん》の指先一《ゆびさきひと》つひとつからは、八万四千《はちまんよんせん》の光《ひかり》が出《で》ています。光《ひかり》は、どんな人《ひと》もやさしく照《て》らしてくださいます。観世音菩薩《かんぜおんぼさつ》の手《て》は、わたしたちによりそい、導《みちび》いてくださる宝《たから》の手《て》です。足《あし》もまた、手《て》と同《おな》じように光《ひか》りかがやいています。

このようにして観世音菩薩《かんぜおんぼさつ》のおすがたが見《み》えたら、災難《さいなん》にあうこともなく、長《なが》い間《あいだ》の悪《あく》が、きよめられて、たくさんの罪《つみ》も消《き》えてなくなるのです。

まずは、観世音菩薩《かんぜおんぼさつ》の頭《あたま》の上《うえ》の髪《かみ》を結《ゆ》ってあるところを見《み》ることからはじめましょう。次《つぎ》に、その上《うえ》にある冠《かんむり》を見《み》て、だんだんとおすがた全体《ぜんたい》をおがむようにしていくのです。これを十番目《じゅうばんめ》の「観音観《かんのんかん》」と言《い》うのです。

十一番目《じゅういちばんめ》は「勢至観《せいしかん》」です。観世音菩薩《かんぜおんぼさつ》を見《み》た人《ひと》は、次《つぎ》に大勢至菩薩《だいせいしぼさつ》を見《み》ることができるようになります。

大勢至菩薩《だいせいしぼさつ》は、観世音菩薩《かんぜおんぼさつ》と同《おな》じようにとても大《おお》きく、光《ひか》りかがやいています。観世音菩薩《かんぜおんぼさつ》はとてもやさしく、大勢至菩薩《だいせいしぼさつ》は智慧《ちえ》がすぐれています。大勢至菩薩《だいせいしぼさつ》の光《ひかり》は、智慧《ちえ》のはたらきをあらわしています。あらゆるいのちをどこまでも照《て》らし、力強《ちからづよ》い光《ひかり》で苦《くる》しいところや、暗《くら》いところや、片《かた》すみにいる人《ひと》を救《すく》ってくださるのです。

大勢至菩薩《だいせいしぼさつ》が歩《ある》きはじめると、世界《せかい》はゆれ動《うご》きます。ゆれ動《うご》いた大《だい》地《ち》には、五百億《ごひゃくおく》の蓮《はす》の花《はな》がさき、まるで阿弥陀《あみだ》さまの国《くに》のように美《うつく》しくかざられます。また大勢至菩薩《だいせいしぼさつ》がすわる時《とき》には、ほかのほとけさまの国々《くにぐに》まで、ゆれ動《うご》きます。すると、あちこちの国《くに》をたずねておられた阿弥陀《あみだ》さまと観世音菩薩《かんぜおんぼさつ》と大勢至菩薩《だいせいしぼさつ》の分身《ぶんしん》が、いっせいに集《あつ》まって来《き》て、ほとけさまの教《おし》えを伝《つた》え、苦《くる》しんでいる人《ひと》たちを救《すく》おうとされるのです。

このように大勢至菩薩《だいせいしぼさつ》のおすがたとお力《ちから》を思《おも》いうかべることができる人《ひと》は、長《なが》い間《あいだ》の罪《つみ》から解放《かいほう》され、二度《にど》と苦《くる》しみなやむことなく、ほとけさまのどんな国々《くにぐに》にも歩《あゆ》んでいけます。これを十一番目《じゅういちばんめ》の「勢至《せいし》観《かん》」と言《い》うのです。

十二番目《じゅうにばんめ》は「普観《ふかん》」です。これは、自分《じぶん》がまるで、阿弥陀《あみだ》さまの国《くに》に生《う》まれたような思《おも》いになって、美《うつく》しい国《くに》のすがたを思《おも》いうかべることです。

まず、阿弥陀《あみだ》さまの国《くに》に生《う》まれて、蓮《はす》の花《はな》の上《うえ》に自分《じぶん》がすわったすがたを想像《そうぞう》します。すると、蓮《はす》の花《はな》がつぼんだり開《ひら》いたりするのが見《み》えてきます。花《はな》が開《ひら》く時《とき》には、いっせいに五百色《ごひゃくしょく》の光《ひかり》がかがやいて自《じ》分《ぶん》の体《からだ》を照《て》らします。静《しず》かに目《め》を開《ひら》くと、空中《くうちゅう》に、ほとけさまや菩薩《ぼさつ》さまが、たくさんいらっしゃるのを見《み》ることができます。そして、流《なが》れる水《みず》や飛《と》んでいる鳥《とり》、並《なら》んでいる木々《きぎ》がみんな声《こえ》を出《だ》し、ほとけさまの教《おし》えを伝《つた》えているのを聞《き》くことができます。じっと聞《き》いていると、とても大切《たいせつ》で忘《わす》れられない教《おし》えを話《はな》しています。このように見《み》えたり聞《き》こえたりしてくると、国《くに》のようすをすべて思《おも》いうかべられるようになります。この人《ひと》のそばには、阿弥陀《あみだ》さまや観世音菩薩《かんぜおんぼさつ》、大勢至菩薩《だいせいしぼさつ》がいらっしゃるのです。これを十二番目《じゅうにばんめ》の「普観《ふかん》」と言《い》うのです。

続《つづ》けてお釈迦《しゃか》さまは阿難《あなん》と韋提希夫人《いだいけぶにん》に話《はな》しました。

今《いま》、こころから阿弥陀《あみだ》さまの国《くに》に生《う》まれたいと願《ねが》うならば、十三番《じゅうさんばん》目《め》に「雑想観《ざっそうかん》」を行《おこな》います。わたしたちの体《からだ》より少《すこ》し大《おお》きな阿弥陀《あみだ》さまが池《いけ》の水《みず》の上《うえ》に立《た》っておられるのを思《おも》いうかべなさい。先《さき》にお話《はな》しした阿弥陀《あみだ》さまのおすがたは、あまりに大《おお》きすぎて、小《ちい》さな存在《そんざい》である人間《にんげん》のこころではとても思《おも》いうかべることができません。だから、わたしたちより少《すこ》し大《おお》きな阿弥陀《あみだ》さまを思《おも》いうかべて、おがむのです。

阿弥陀《あみだ》さまは、その人《ひと》の苦《くる》しみや悲《かな》しみに合《あ》わせて、自由自在《じゆうじざい》に変《へん》身《しん》するお力《ちから》をもっています。その力《ちから》でさまざまなおすがたになって、あちこちの国々《くにぐに》にあらわれます。ある時《とき》は空《そら》いっぱいの大《おお》きなおすがたで、またある時《とき》は人間《にんげん》のような小《ちい》さなおすがたになってあらわれます。これまでお話《はな》ししたとおり、どのおすがたも金色《こんじき》にかがやいています。

観世音菩薩《かんぜおんぼさつ》と大勢至菩薩《だいせいしぼさつ》も、阿弥陀《あみだ》さまといっしょにおられます。同《おな》じように自由自在《じゆうじざい》に大《おお》きくなったり小《ちい》さくなったりして、阿弥陀《あみだ》さまを助《たす》け、迷《まよ》っている人《ひと》びとを救《すく》っています。

阿弥陀《あみだ》さまのすがたかたちを思《おも》いうかべるだけでも、すぐれたはたらきを身《み》につけることができます。ましてや本当《ほんとう》のおすがたをこころで思《おも》いうかべることができた人《ひと》は、比《くら》べものにならないほどのすぐれたはたらきを身《み》につけるのです。

これを十三番目《じゅうさんばんめ》の「雑想観《ざっそうかん》」と言《い》うのです。

このようにお釈迦《しゃか》さまは、こころを静《しず》めることのできる人《ひと》びとに向《む》けて、阿弥陀《あみだ》さまの国《くに》を思《おも》いうかべる十三《じゅうさん》とおりの方法《ほうほう》を話《はな》してきました。そして次《つぎ》に、お釈迦《しゃか》さまは、こころを一《ひと》つにして静《しず》かに思《おも》うことができない人《ひと》びとのために、まじめに善《よ》い行《おこな》いをして、阿弥陀《あみだ》さまの国《くに》に生《う》まれる人《ひと》のすがたを話《はな》しはじめました。

さて、十四番目《じゅうよんばんめ》は「上輩観《じょうはいかん》」と言《い》います。この「上輩観《じょうはいかん》」には、

「上《うえ》の上《うえ》」と「上《うえ》の中《なか》」と「上《うえ》の下《した》」の三《みっ》つのすがたがあります。

それではまず「上《うえ》の上《うえ》」からお話《はな》ししてみましょう。どんな人《ひと》でも、阿弥陀《あみだ》さまの国《くに》に生《う》まれようと願《ねが》えば、かならず三《みっ》つのこころをおこして生《う》まれることになります。そのこころは次《つぎ》の三《みっ》つです。

一《ひと》つ目《め》は、自分《じぶん》のこころの底《そこ》からわいてくる問《と》いに誠実《せいじつ》なこころです。二《ふた》つ目《め》は、ほとけさまの教《おし》えを深《ふか》く信《しん》じるこころです。三《みっ》つ目《め》は、阿弥陀《あみだ》さまの国《くに》に生《う》まれたら、苦《くる》しむ人《ひと》びとをたすけたいと願《ねが》うこころです。

この三《みっ》つのこころをおこす人《ひと》は、かならず阿弥陀《あみだ》さまの国《くに》に生《う》まれることができます。

そしてこの「上《うえ》の上《うえ》」には、さらに三《みっ》つのすがたがあります。

一《ひと》つ目《め》は、とてもやさしいこころを持《も》ち、生《い》きものを殺《ころ》さず、ほとけさまへの誓《ちか》いをまもって生活《せいかつ》することです。二《ふた》つ目《め》は、ほとけさまの教《おし》えが書《か》いてあるお経《きょう》を読《よ》むことです。三《みっ》つ目《め》は、ほとけさまと、ほとけさまの教《おし》えと、教《おし》えをいっしょに聞《き》く友《とも》だちを、大切《たいせつ》に思《おも》うことです。

この三《みっ》つのことを一日《いちにち》から七日《なのか》の間《あいだ》、行《おこな》うことで、みんな阿弥陀《あみだ》さまの国《くに》に生《う》まれるのです。

この人《ひと》のいのちが終《お》わろうとする時《とき》、阿弥陀《あみだ》さまは観世音菩薩《かんぜおんぼさつ》や大《だい》勢至菩薩《せいしぼさつ》、たくさんのほとけさま、お弟子《でし》たち、天人《てんにん》たちを連《つ》れてあらわれてくれます。観世音菩薩《かんぜおんぼさつ》は、ダイヤモンドの台《だい》を手《て》に持《も》って大《だい》勢至菩薩《せいしぼさつ》とともにその人《ひと》の前《まえ》にあらわれます。阿弥陀《あみだ》さまは大《おお》きな光《ひかり》を放《はな》って、その人《ひと》を照《て》らし、菩薩《ぼさつ》さまたちとともに、手《て》を取《と》ってむかえてくださいます。観世音菩薩《かんぜおんぼさつ》や大勢至菩薩《だいせいしぼさつ》は、その人《ひと》をほめて、こころをはげましてくださいます。

その人《ひと》はよろこび、おどり出《だ》すような気持《きも》ちになります。ふと自分《じぶん》の体《からだ》を見《み》ると、すでにダイヤモンドの台《だい》に乗《の》っています。そして、阿《あ》弥陀《みだ》さまの後《うし》ろについていくと、指《ゆび》を弾《はじ》くくらいの短《みじか》い間《あいだ》に、阿《あ》弥《み》陀《だ》さまの国《くに》に生《う》まれるのです。

阿弥陀《あみだ》さまの国《くに》に生《う》まれると、ほとけさまや、たくさんの菩薩《ぼさつ》さまたちの美《うつく》しいおすがた、そして、教《おし》えを語《かた》る宝《たから》の木々《きぎ》などが、あちこちに見《み》えてきます。そのすばらしさは、とても言葉《ことば》で言《い》いあらわせないほどです。どこもかしこも、ほとけさまの教《おし》えを伝《つた》えているので、それを聞《き》くとすぐにほとけさまのさとりを得《え》ることができます。

そしてほんの少《すこ》しの時間《じかん》で、いろんな世界《せかい》に飛《と》んで行《い》けるようになり、どんなほとけさまのところにもお参《まい》りすることができます。そうかと思《おも》えば、またすぐに阿弥陀《あみだ》さまの国《くに》に帰《かえ》ってきて、たくさんの智《ち》慧《え》を身《み》につけることもできるのです。これが「上《うえ》の上《うえ》」です。

次《つぎ》に「上《うえ》の中《なか》」というのは、「上《うえ》の上《うえ》」のように、たくさんのお経《きょう》を読《よ》めなくてもいいのです。お経《きょう》のこころを知《し》り、ほとけさまの教《おし》えを大切《たいせつ》にして、阿弥陀《あみだ》さまの国《くに》に生《う》まれようと願《ねが》うすがたです。

この人《ひと》のいのちが終《お》わろうとする時《とき》、阿弥陀《あみだ》さまは観世音菩薩《かんぜおんぼさつ》と大《だい》勢至菩薩《せいしぼさつ》、そしてむらさき色《いろ》の金《きん》の台《だい》を持《も》ったたくさんのお弟子《でし》たちを連《つ》れて、目《め》の前《まえ》にあらわれてくださいます。阿弥陀《あみだ》さまは、

「あなたは、よくほとけさまの教《おし》えを聞《き》き、美《うつく》しい行《おこな》いをしました。わたしは今《いま》、あなたをむかえに来《き》ました。さあ、行《い》きましょう」

と言《い》って、その人《ひと》をほめて、両手《りょうて》を差《さ》しのべてくださいます。たくさんのほとけさまたちも、いっせいに手《て》を差《さ》しのべて、むかえてくださいます。ふと自分《じぶん》を見《み》ると、いつの間《ま》にか、むらさき色《いろ》の金《きん》の台《だい》にすわって手《て》を合《あ》わせています。念仏《ねんぶつ》を称《とな》え、ほとけさまをほめ讃《たた》えているのです。

そして、念仏《ねんぶつ》をたった一度《いちど》称《とな》えるくらいの間《あいだ》に、阿弥陀《あみだ》さまの国《くに》に生《う》まれて、七《なな》つの宝《たから》でできた池《いけ》にさく蓮《はす》の花《はな》の中《なか》にいます。一晩《ひとばん》がたち、花《はな》が開《ひら》くと、その人《ひと》の体《からだ》は金色《こんじき》にかがやきます。開《ひら》いた花《はな》は、足《あし》元《もと》で七宝《しっぽう》の色《いろ》にかがやいています。空《そら》の上《うえ》からは、ほとけさまや菩薩《ぼさつ》さまが明《あか》るい光《ひかり》を放《はな》って、その人《ひと》を照《て》らします。その人《ひと》の目《め》はたちまちに開《ひら》き、はっきりと見《み》えるようになります。すると、あちこちから声《こえ》が聞《き》こえてきます。その声《こえ》は、ほとけさまのおこころを伝《つた》えています。すぐにその人《ひと》は、台《だい》からおりて手《て》を合《あ》わせ、ほとけさまをおがみ、ほめ讃《たた》えるのです。

このようにして七日《なのか》がすぎると、ほとけさまのすぐれたおこころを知《し》ることができ、もう再《ふたた》び、なやみ苦《くる》しむことがなくなるのです。

そして、いろんな世界《せかい》を飛《と》びまわることができるようになり、あちこちのほとけさまのところへ、お参《まい》りすることができます。たくさんのほとけさまの前《まえ》で、いろいろな修行《しゅぎょう》をして、一小劫《いっしょうこう》という長《なが》い時間《じかん》をすごしたあと、さらに深《ふか》いさとりを得《え》て、阿弥陀《あみだ》さまから、

「あなたは、きっとほとけさまになれますよ」

と言《い》ってもらえるのです。これが「上《うえ》の中《なか》」です。

「上《うえ》の下《した》」というのは、ほとけさまのさとられた「結果《けっか》にはかならず原因《げんいん》がある」という教《おし》えを信《しん》じ、その教《おし》えを大切《たいせつ》にして、ほとけさまになりたいというこころをおこし、阿弥陀《あみだ》さまの国《くに》に生《う》まれようとするすがたです。

この人《ひと》のいのちが終《お》わろうとする時《とき》、阿弥陀《あみだ》さまは観世音菩薩《かんぜおんぼさつ》や大《だい》勢至菩薩《せいしぼさつ》、金《きん》の蓮《はす》の花《はな》を持《も》ったたくさんのお弟子《でし》たちを連《つ》れて、目《め》の前《まえ》にあらわれてくださいます。そして阿弥陀《あみだ》さまは両手《りょうて》を出《だ》して、その人《ひと》をほめ、

「あなたはよくきよらかなこころになって、ほとけさまになりたいというこころを持《も》ちましたね。わたしは今《いま》、あなたをむかえに来《き》ました」

とおっしゃいます。すると、たくさんのほとけさまたちも、いっせいに手《て》を出《だ》してほめてくださるのです。

ふと自分《じぶん》を見《み》ると、金《きん》の蓮《はす》の花《はな》の上《うえ》にすわっています。するとすぐに、花《はな》が体《からだ》を包《つつ》みこみます。そして、阿弥陀《あみだ》さまの後《うし》ろについていくと、七《なな》つの宝《たから》からできた池《いけ》の中《なか》に生《う》まれるのです。一晩《ひとばん》たつと、蓮《はす》の花《はな》は開《ひら》きます。それから七日《なのか》の間《あいだ》は、ほとけさまのおすがたが見《み》えても、まだ自分《じぶん》のこころがはっきりとしていないために、細《こま》かいところまで見《み》ることはできません。三週間《さんしゅうかん》たつと、はっきり見《み》ることができるようになります。すると、いろんな美《うつく》しい声《こえ》が聞《き》こえてきます。その声《こえ》は、ほとけさまの教《おし》えを伝《つた》えているように思《おも》えます。

そして、あちこちのほとけさまのところに飛《と》んで行《い》くことができるようになります。たくさんのほとけさまから、深《ふか》くこころのこもった教《おし》えを聞《き》いて、三小劫《さんしょうこう》という長《なが》い時間《じかん》をすごしたあと、さらにいろいろな教《おし》えを知《し》ることができます。その人《ひと》は、ほとけさまになれるというよろこびでいっぱいになります。これが「上《うえ》の下《した》」です。

このように、今《いま》までお話《はな》しした「上《うえ》の上《うえ》」と「上《うえ》の中《なか》」と「上《うえ》の下《した》」の三《みっ》つを合《あ》わせて、十四番目《じゅうよんばんめ》の「上輩観《じょうはいかん》」と言《い》うのです。

次《つぎ》は十五番目《じゅうごばんめ》の「中輩観《ちゅうはいかん》」です。これにも「中《なか》の上《うえ》」「中《なか》の中《なか》」「中《なか》の下《した》」の三《みっ》つのすがたがあります。

まず「中《なか》の上《うえ》」というのは、ほとけさまの教《おし》えを信《しん》じるすがたです。いろいろなほとけさまへの誓《ちか》いをきちんとまもり、重《おも》い罪《つみ》を犯《おか》したり、悪《わる》いことをしたりせず、阿弥陀《あみだ》さまの国《くに》に生《う》まれようと願《ねが》うすがたです。

この人《ひと》のいのちが終《お》わろうとする時《とき》、阿弥陀《あみだ》さまは、たくさんのお弟子《でし》たちとともに、美《うつく》しい金色《こんじき》の光《ひかり》を放《はな》ちながら、目《め》の前《まえ》にあらわれてくださいます。そして、ほとけさまの教《おし》えを伝《つた》え、

「あなたはよくほとけさまとのいろいろな約束《やくそく》をまもり、あらゆる苦《くる》しみから解放《かいほう》されました」

と、ほめてくださいます。

その人《ひと》は、阿弥陀《あみだ》さまを見《み》たとたんに、こころがよろこびでいっぱいになります。自分《じぶん》を見《み》ると、いつの間《ま》にか蓮《はす》の花《はな》の台《だい》にしっかりとすわって、ほとけさまに頭《あたま》を下《さ》げています。その頭《あたま》をまだ上《あ》げないうちに、阿弥陀《あみだ》さまの国《くに》に生《う》まれているのです。生《う》まれるとすぐ、乗《の》っ

てきた蓮《はす》の花《はな》が開《ひら》いて、あちこちから、ほとけさまの教《おし》えを話《はな》す声《こえ》が聞《き》こえてきます。すると自然《しぜん》に、ほとけさまの智慧《ちえ》を得《え》て、これまでとこれからの歴史《れきし》を見《み》とおし、世《よ》のありのままのすがたを知《し》ることができるようになるのです。これが「中の上《なかのうえ》」です。

それから「中の中《なかのなか》」というのは、長《なが》い間《あいだ》はできなくても、一昼夜《いっちゅうや》の間《あいだ》だけ、ほとけさまへの誓《ちか》いをまもり、まじめな行《おこな》いをして、阿弥陀《あみだ》さまの国《くに》に生《う》まれようと願《ねが》うすがたです。

この人《ひと》のいのちが終《お》わろうとする時《とき》、阿弥陀《あみだ》さまは美《うつく》しい金色《こんじき》の光《ひかり》を放《はな》ちながら、たくさんのお弟子《でし》たちとともに、目《め》の前《まえ》にあらわれてくださいます。弟子《でし》たちは、七《なな》つの宝《たから》からできた蓮《はす》の花《はな》を持《も》っています。阿弥陀《あみだ》さまは、

「あなたは善《よ》い生《い》き方《かた》をしました。ほとけさまの教《おし》えにしたがってくれました。わたしは、あなたを国《くに》に生《う》まれさせるために、むかえに来《き》ました」

と、ほめてくださいます。

その声《こえ》が聞《き》こえたかと思《おも》うと、蓮《はす》の花《はな》の上《うえ》にすわっています。花《はな》はすぐにとじて、阿弥陀《あみだ》さまの国《くに》の池《いけ》の中《なか》に送《おく》り届《とど》けられます。七日《なのか》たつと花《はな》が開《ひら》き、あたりを見《み》ることができるようになります。そこでは、阿弥陀《あみだ》さまが美《うつく》しい光《ひかり》を放《はな》っておられます。手《て》を合《あ》わせておがんでいると、いろいろな教《おし》えを聞《き》かせていただくことができます。すると、迷《まよ》いからはなれることができ、半劫《はんこう》という長《なが》い時間《じかん》をすごした後《あと》に、ほとけさまの智慧《ちえ》を得《え》るのです。これが「中《なか》の中《なか》」です。

「中《なか》の下《した》」というのは、いつもはほとけさまの教《おし》えを聞《き》かなくても、親孝行《おやこうこう》をして、人《ひと》びとに思《おも》いやりをもち、阿弥陀《あみだ》さまの国《くに》に生《う》まれるすがたです。

この人《ひと》のいのちが終《お》わろうとする時《とき》、ほとけさまの教《おし》えを信《しん》じている人《ひと》から、阿弥陀《あみだ》さまの国《くに》のようすや、阿弥陀《あみだ》さまの本当《ほんとう》の願《ねが》いを聞《き》かせてもらえます。そのことを聞《き》いたその人《ひと》は、いのちが終《お》わると、あっという間《ま》に阿弥陀《あみだ》さまの国《くに》に生《う》まれることができます。

七日《なのか》たつと、観世音菩薩《かんぜおんぼさつ》や大勢至菩薩《だいせいしぼさつ》から、ほとけさまの教《おし》えを聞《き》くことができ、こころがよろこびでいっぱいになります。

そして、一小劫《いっしょうこう》という長《なが》い時間《じかん》がたったあと、ほとけさまの智慧《ちえ》を得《え》るのです。これが「中《なか》の下《した》」です。

今《いま》までお話《はな》しした「中《なか》の上《うえ》」と「中《なか》の中《なか》」と「中《なか》の下《した》」の三《みっ》つを合《あ》

わせて、十五番目《じゅうごばんめ》の「中輩観《ちゅうはいかん》」と言《い》うのです。

十六番目《じゅうろくばんめ》は「下輩観《げはいかん》」です。これにも「下《した》の上《うえ》」と「下《した》の中《なか》」と「下《した》の下《した》」の三《みっ》つのすがたがあります。

「下《した》の上《うえ》」というのは、ほとけさまの教《おし》えを否定《ひてい》はしません。しかし悪《わる》いことをいくらしても、はずかしいと思《おも》わないすがたです。この人《ひと》は、次《つぎ》のようにして阿弥陀《あみだ》さまの国《くに》に生《う》まれることができるのです。

この人《ひと》のいのちが終《お》わろうとする時《とき》、ほとけさまの教《おし》えを信《しん》じている人《ひと》から、ほとけさまのお話《はな》しされたお経《きょう》の名前《なまえ》を聞《き》くだけで、千劫《せんこう》という長《なが》い間《あいだ》の悪《わる》い罪《つみ》が消《き》えます。また、ほとけさまの教《おし》えをよく知《し》る人《ひと》から、手《て》を合《あ》わせて南無阿弥陀仏《なむあみだぶつ》と称《とな》えることを教《おし》えてもらい、南無阿弥陀仏《なむあみだぶつ》と称《とな》える時《とき》、五十億劫《ごじゅうおくこう》という長《なが》い間《あいだ》の罪《つみ》が消《き》えます。

その時《とき》、阿弥陀《あみだ》さまは、阿弥陀《あみだ》さまや観世音菩薩《かんぜおんぼさつ》、大勢至菩薩《だいせいしぼさつ》のおすがたをした方々《かたがた》を、その人《ひと》の目《め》の前《まえ》に送《おく》ってくださいます。その方々《かたがた》は、

「あなたが、ほとけさまのお名前《なまえ》を称《とな》えたので、たくさんの罪《つみ》が消《き》えました。わたしたちは今《いま》、あなたをむかえに来《き》ました」

と言《い》ってくれます。

その声《こえ》が聞《き》こえると、部屋《へや》が光《ひかり》でいっぱいになり、よろこびとともにいのちを終《お》えることができます。蓮《はす》の花《はな》に乗《の》って阿弥陀《あみだ》さまたちの後《うし》ろについていくと、阿弥陀《あみだ》さまの国《くに》の宝《たから》の池《いけ》の中《なか》に生《う》まれます。四《し》十九日間《じゅうくにちかん》すぎれば、花《はな》が開《ひら》いて、あたりを見《み》ることができるようにな

ります。

目《め》の前《まえ》には、観世音菩薩《かんぜおんぼさつ》と大勢至菩薩《だいせいしぼさつ》が大《おお》きな光《ひかり》を放《はな》って、ほとけさまのいろいろなお話《はなし》を聞《き》かせてくださいます。お話《はなし》を聞《き》いてよくわかり、ほとけさまになりたいというこころをおこすと、十小劫《じっしょうこう》というながい時間《じかん》かかって、かならずほとけさまになる道《みち》を歩《あゆ》んでいくようになります。これが「下《した》の上《うえ》」です。


「下《した》の中《なか》」というのは、ほとけさまを信《しん》じないで、誓《ちか》いを破《やぶ》ってたくさん悪《わる》いことをしているすがたです。

ほとけさまの教《おし》えを信《しん》じている人《ひと》のものをぬすんだり、自分《じぶん》の名誉《めいよ》や欲望《よくぼう》のために、ほとけさまの教《おし》えを人《ひと》に話《はな》したりしているのに、それを少《すこ》しもはずかしいと思《おも》わないすがたです。

このような人《ひと》たちは、悪《わる》い罪《つみ》によって、かならず地獄《じごく》に落《お》ちると決《き》まっています。いのちが終《お》わろうとする時《とき》、地獄《じごく》のおそろしい火《ひ》が、目《め》の前《まえ》にあらわれてきます。ところが、ほとけさまの教《おし》えを信《しん》じる人《ひと》から、阿弥陀《あみだ》さまのお力《ちから》と尊《とうと》さとを聞《き》かせてもらえば、あっという間《ま》に八十億劫《はちじゅうおくこう》という長《なが》い間《あいだ》の罪《つみ》が消《き》えて、目《め》の前《まえ》にせまっていた地獄《じごく》のおそろしい火《ひ》は、ほとけさまの国《くに》からふいてくるすずしい風《かぜ》にかわります。風《かぜ》は、美《うつく》しい花《はな》を舞《ま》い散《ち》らします。

その花《はな》から、ほとけさまと菩薩《ぼさつ》さまのおすがたになった方々《かたがた》があらわれ、むかえに来《き》ます。すると、念仏《ねんぶつ》をたった一度《いちど》称《とな》えるくらいの間《あいだ》に、阿弥陀《あみだ》さまの国《くに》の七《なな》つの宝《たから》からできている池《いけ》の蓮《はす》の花《はな》の中《なか》に生《う》まれるのです。六劫《ろっこう》という長《なが》い時間《じかん》がたつと花《はな》が開《ひら》き、観世音菩薩《かんぜおんぼさつ》や大《だい》勢至菩薩《せいしぼさつ》が目《め》の前《まえ》にあらわれて、こころが安《やす》らかになるお話《はなし》をしてくださいます。ほとけさまの教《おし》えのきよらかなこころを聞《き》かせてくれるのです。

そしてその人《ひと》は、お話《はなし》を聞《き》いて、ほとけさまになりたいというこころをおこすのです。これが「下《した》の中《なか》」です。

最後《さいご》に「下《した》の下《した》」は、重《おも》い罪《つみ》を犯《おか》し、悪《わる》いことばかりしたので、悪《わる》い世界《せかい》に生《う》まれ、いつまでも苦《くる》しみ続《つづ》けます。

このおろかな人《ひと》がいのちを終《お》えようとする時《とき》、ほとけさまの教《おし》えを聞《き》かせてくれる人《ひと》に出会《であ》い、こころが安《やす》らかになるように、教《おし》えをやさしく聞《き》かせてもらいます。しかし、ずっと悪《わる》いことばかりしてきたために、こころが苦《くる》しみでいっぱいで、ほとけさまのおこころを思《おも》うことさえできません。

その時《とき》、ほとけさまの教《おし》えを聞《き》かせてくれる友《とも》から、

「どうしても、ほとけさまのおこころを思《おも》うことができないのであれば、南無阿弥陀仏《なむあみだぶつ》と称《とな》えなさい」

と聞《き》かされます。南無阿弥陀仏《なむあみだぶつ》、南無阿弥陀仏《なむあみだぶつ》と十回《じっかい》ほど称《とな》えると、阿弥陀《あみだ》さまのお名前《なまえ》の力《ちから》で、ひと声称《こえとな》えるたびに八十億劫《はちじゅうおくこう》という数《かぞ》えきれないほど長《なが》い間《あいだ》の罪《つみ》が消《き》えるのです。そして、いのちが終《お》わる時《とき》、お日《ひ》さまの光《ひかり》の輪《わ》のような金《きん》の蓮《はす》の花《はな》が目《め》の前《まえ》にあらわれて、その人《ひと》を包《つつ》みこんだかと思《おも》うと、念仏《ねんぶつ》をたった一度称《いちどとな》えるくらいの間《あいだ》に、阿《あ》弥陀《みだ》さまの国《くに》に生《う》まれることができます。

十二劫《じゅうにこう》という長《なが》い時間《じかん》がすぎると、花《はな》が開《ひら》き、観世音菩薩《かんぜおんぼさつ》と大勢至《だいせいし》菩薩《ぼさつ》が、目《め》の前《まえ》にあらわれて、ほとけさまの教《おし》えをお話《はな》ししてくださいます。それを聞《き》いて、こころの底《そこ》から、ほとけさまになりたいと思《おも》うのです。これが「下《した》の下《した》」です。

今《いま》までお話《はな》しした「下《した》の上《うえ》」と「下《した》の中《なか》」と「下《した》の下《した》」の三《みっ》つを合《あ》わせて、十六番目《じゅうろくばんめ》の「下輩観《げはいかん》」と言《い》うのです。

このようにお釈迦《しゃか》さまは、阿弥陀《あみだ》さまの国《くに》を思《おも》いうかべる方法《ほうほう》と、生《う》まれる方法《ほうほう》を十六《じゅうろく》とおりにわたって話《はな》しました。これを聞《き》いた韋提《いだい》希夫人《けぶにん》と、いっしょにいた五百人《ごひゃくにん》の女性《じょせい》たちは、お釈迦《しゃか》さまのお話《はなし》のおかげで、阿弥陀《あみだ》さまの国《くに》の広大《こうだい》なようすと、阿弥陀《あみだ》さま、観世音菩《かんぜおんぼ》薩《さつ》、大勢至菩薩《だいせいしぼさつ》のおすがたを見《み》ることができて、こころからよろこびました。そして、今《いま》まで感《かん》じたことのないありがたさを感《かん》じ、こころからほとけになりたいと思《おも》い、阿弥陀《あみだ》さまの国《くに》に生《う》まれたいと願《ねが》いました。

お釈迦《しゃか》さまはそのようすを見《み》て、

そのように努力《どりょく》すれば、かならず阿弥陀《あみだ》さまの国《くに》に生《う》まれることができます。

と言《い》いました。

お釈迦《しゃか》さまのこのお話《はなし》は、天上界《てんじょうかい》のあらゆる天人《てんにん》にまで伝《つた》わり、数《かぞ》えきれないほどたくさんの天人《てんにん》たちも、仏《ほとけ》になる道《みち》を求《もと》めるこころをおこしました。

お釈迦《しゃか》さまが話《はな》し終《お》えた時《とき》、阿難《あなん》がお釈迦《しゃか》さまの前《まえ》に進《すす》み出《で》て、こうたずねました。

「お釈迦《しゃか》さま、今《いま》までお話《はな》しくださったお話《はなし》に、何《なん》というお名前《なまえ》をつけたらよいでしょうか。そして、このお話《はなし》の中《なか》で特《とく》に大切《たいせつ》なところはどこにあるのでございましょうか」

するとお釈迦《しゃか》さまは、阿難《あなん》に向《む》かって話《はな》しました。

このお話《はなし》を『阿弥陀仏《あみだぶつ》の国《くに》と阿弥陀仏《あみだぶつ》、観世音菩薩《かんぜおんぼさつ》と大勢至菩薩《だいせいしぼさつ》を思《おも》いうかべる物語《ものがたり》』と名《な》づけましょう。

また、『これまでの悪《わる》い行《おこな》いがさまたげとはならずに、ほとけさまの前《まえ》に生《う》まれる物語《ものがたり》』と名《な》づけましょう。

阿難《あなん》よ、忘《わす》れずにこの物語《ものがたり》のこころをみんなに伝《つた》えてください。

この物語《ものがたり》のとおりにしていけば、阿弥陀《あみだ》さまと観世音菩薩《かんぜおんぼさつ》と大勢至《だいせいし》菩薩《ぼさつ》を目《め》の前《まえ》で見《み》ることができます。

阿弥陀《あみだ》さまのお名前《なまえ》を聞《き》くだけでも、とても長《なが》い時間《じかん》の罪《つみ》が消《き》えてしまいます。まして阿弥陀《あみだ》さまの願《ねが》いを自分《じぶん》のこころでわかることができるようになれば、なおさらです。

念仏《ねんぶつ》する人《ひと》は、人間《にんげん》の中《なか》で最《もっと》もきよらかです。このような人《ひと》は、泥《どろ》の池《いけ》にさきながら泥《どろ》にそまらない白《しろ》い蓮《はす》の花《はな》「分陀利華《ふんだりけ》」のようです。そして観世音菩薩《かんぜおんぼさつ》や大勢至菩薩《だいせいしぼさつ》は、その人《ひと》の友《とも》だちになってくださり、やがては、阿弥陀《あみだ》さまの国《くに》に生《う》まれることができるのです。

阿難《あなん》よ。たとえほかのことは忘《わす》れても、この阿弥陀《あみだ》さまのお名前《なまえ》、南無阿弥陀仏《なむあみだぶつ》だけは、忘《わす》れないようにしてください。

このお釈迦《しゃか》さまのお言葉《ことば》を聞《き》いた目連《もくれん》と阿難《あなん》、韋提希夫人《いだいけぶにん》たちは、みんな大《おお》きなよろこびに包《つつ》まれました。

こうしてお釈迦《しゃか》さまは、お話《はなし》を終《お》え、空《そら》を歩《ある》いて耆闍崛山《ぎしゃくっせん》に帰《かえ》りました。その後《ご》、阿難《あなん》は耆闍崛山《ぎしゃくっせん》でたくさんの弟子《でし》たちに、お釈迦《しゃか》さまが韋提希夫人《いだいけぶにん》に向《む》かってお話《はな》しされたことを、すべて聞《き》かせました。

その物語《ものがたり》は、あらゆる者《もの》のこころにひびきわたり、みんなとてもよろこんで、お釈迦《しゃか》さまにお礼《れい》をして、それぞれに帰《かえ》っていきました。

仏説阿弥陀経《ぶっせつあみだきょう》

『仏説阿弥陀経《ぶっせつあみだきょう》』編《へん》

主《おも》な登場人物《とうじょうじんぶつ》

○お釈迦《しゃか》さま……真理《しんり》に目覚《めざ》めた人《ひと》。あるときお釈迦《しゃか》さまは、だれからもたのまれることなく、みずから『阿弥陀経《あみだきょう》』の物語《ものがたり》を語《かた》り出《だ》す。

○舎利弗《しゃりほつ》…………お釈迦《しゃか》さまの弟子《でし》。弟子《でし》たちのなかで一番智慧《いちばんちえ》がある。『阿弥陀経《あみだきょう》』の物語《ものがたり》は、舎利弗《しゃりほつ》に向《む》かって語《かた》りはじめられる。

◇阿弥陀《あみだ》さま……お釈迦《しゃか》さまが語《かた》られた物語《ものがたり》に登場《とうじょう》するほとけさま。すべての人《ひと》を救《すく》いたいと願《ねが》い、極楽《ごくらく》（浄土《じょうど》）という国《くに》をつくった。

※○は、実在《じつざい》の人物《じんぶつ》。◇は、お釈迦《しゃか》さまのお話《はなし》の中《なか》に登場《とうじょう》するほとけさまや菩薩《ぼさつ》さま。

『仏説阿弥陀経《ぶっせつあみだきょう》』

ある時《とき》、お釈迦《しゃか》さまはインドの舎衛国《しゃえいこく》にある祇園精舎《ぎおんしょうじゃ》という、ほとけさまの教《おし》えを広《ひろ》めてほしいと願《ねが》った人《ひと》が用意《ようい》した場所《ばしょ》におられました。そこにはすぐれた智慧《ちえ》をもつ千二百人《せんにひゃくにん》の弟子《でし》が集《あつ》まっていました。弟子《でし》たちの中《なか》でも長老《ちょうろう》の舎利弗《しゃりほつ》は、智慧《ちえ》が最《もっと》もすぐれていました。

その時《とき》、お釈迦《しゃか》さまは舎利弗《しゃりほつ》に向《む》かって、このような物語《ものがたり》を話《はな》しはじめました。

舎利弗《しゃりほつ》よ。ここから西《にし》の方《ほう》の、十万億《じゅうまんおく》のほとけさまの国《くに》をこえたはるかかなたに、一《ひと》つの世界《せかい》があります。その世界《せかい》の名《な》は、極楽浄土《ごくらくじょうど》と

言《い》います。その国《くに》におられるほとけさまは、阿弥陀《あみだ》と名《な》のられていま
す。阿弥陀《あみだ》さまは、今《いま》まさに、ほとけさまの教《おし》えをお話《はな》ししています。
舎利弗《しゃりほつ》よ。その国《くに》の人《ひと》びとは、少《すこ》しも苦《くる》しむことがなく、いろいろ
なよろこびを身《み》に受《う》けています。だから、その国《くに》は極楽《ごくらく》と名《な》づけられ
るのです。

また舎利弗《しゃりほつ》よ。極楽《ごくらく》の世界《せかい》を見《み》わたすと、美《うつく》しい宝《たから》でできた手《て》すり、
宝《たから》をつなげた網《あみ》や並木《なみき》で七重《しちじゅう》にとり囲《かこ》まれています。

そして、極楽《ごくらく》の世界《せかい》には七色《なないろ》の宝《たから》でできた池《いけ》があります。その池《いけ》は、
八《やっ》つのはたらきがそなわった水《みず》でいっぱいになっています。池《いけ》の底《そこ》に
は金《きん》のすながしきつめられ、水《みず》は金色《こんじき》にかがやいています。池《いけ》の周《まわ》り
には、金《きん》や銀《ぎん》、瑠璃《るり》や水晶《すいしょう》でできた石段《いしだん》があり、段《だん》を上《あ》がると、そこ
には高《たか》くそびえる建物《たてもの》があります。それもまた、金《きん》や銀《ぎん》、瑠璃《るり》など、

いろいろな宝《たから》でりっぱにかざられているのです。

池《いけ》の中《なか》には、車輪《しゃりん》のように大《おお》きな蓮《はす》の花《はな》がさいています。青《あお》い蓮《はす》の花《はな》は青《あお》くかがやき、黄色《きいろ》い蓮《はす》の花《はな》は黄色《きいろ》くかがやき、赤《あか》い蓮《はす》の花《はな》は赤《あか》くかがやき、白《しろ》い蓮《はす》の花《はな》は白《しろ》くかがやいています。蓮《はす》の花《はな》からすばらしい香《かお》りがただよって、それはそれはきよらかです。

舎利弗《しゃりほつ》よ。極楽《ごくらく》の世界《せかい》は、このようにすばらしい環境《かんきょう》で、美《うつく》しくかざられているのです。

また舎利弗《しゃりほつ》よ。極楽《ごくらく》の世界《せかい》は、いつも美《うつく》しくここちよい音楽《おんがく》が流《なが》れ、地面《じめん》は金《こがね》でできています。そこでは、一日《いちにち》に六回《ろっかい》、空《そら》から美《うつく》しい蓮《はす》の花《はな》がふってきます。この世界《せかい》に生《う》まれた人《ひと》びとは、毎日《まいにち》すがすがしい朝《あさ》をむかえ、空《そら》からふる蓮《はす》の花《はな》をお皿《さら》に受《う》けて、十万億《じゅうまんおく》ものほかのほとけさまの国《くに》に出《で》かけ、その花《はな》をおそなえします。朝食《ちょうしょく》の前《まえ》にはもとの国《くに》にもどって、朝食《ちょうしょく》をいただき、美《うつく》しい並木《なみき》の間《あいだ》を行《い》き来《き》するのです。

次《つぎ》に、舎利弗《しゃりほつ》よ。極楽《ごくらく》の世界《せかい》には、いろんな鳥《とり》がいます。白鵠《びゃっこう》という白《しろ》く美《うつく》しい水鳥《みずどり》や孔雀《くじゃく》や鸚鵡《おうむ》、人《ひと》の言葉《ことば》を話《はな》す舎利《しゃり》、美《うつく》しい声《こえ》で鳴《な》く人《ひと》の顔《かお》をした迦陵頻伽《かりょうびんが》、頭《あたま》が二《ふた》つある共命鳥《ぐみょうちょう》という鳥《とり》たちです。鳥《とり》たちはそれぞれ、一日六回《いちにちろっかい》、とても美《うつく》しくやさしく鳴《な》いています。その鳴《な》き声《ごえ》は、実《じつ》はほとけさまの教《おし》えなのです。ですからその声《こえ》を聞《き》くとみんな、ほとけさまのすがた、ほとけさまの教《おし》え、そしてともに教《おし》えを聞《き》く人《ひと》びとのことが自然《しぜん》とこころに思《おも》いうかぶのです。舎利弗《しゃりほつ》よ。極楽《ごくらく》の世界《せかい》に鳥《とり》がいるといっても、わたしたちの住《す》むこの世界《せかい》の鳥《とり》と同《おな》じというわけではありません。極楽《ごくらく》の世界《せかい》では阿弥陀《あみだ》さまが鳥《とり》のすがたに変《か》わって、鳴《な》き声《ごえ》で教《おし》えを伝《つた》えているのです。

白鵠《びゃっこう》

迦陵頻伽《かりょうびんが》

孔雀《くじゃく》

鸚鵡《おうむ》

舎利《しゃり》

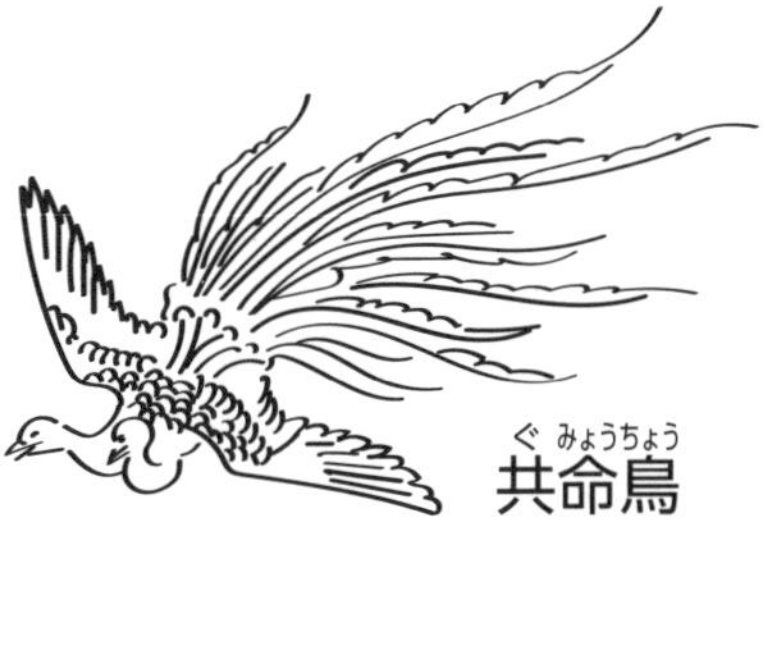

共命鳥《ぐみょうちょう》

舎利弗《しゃりほつ》よ。極楽《ごくらく》の世界《せかい》ではここちよい風《かぜ》がふいて、さまざまな宝《たから》でできている並木《なみき》や宝《たから》をつなげた網《あみ》がゆれると、言《い》いあらわせないほどすばらしい音楽《おんがく》が流《なが》れます。それはまるで百千《ひゃくせん》もの楽器《がっき》が同時《どうじ》に音楽《おんがく》を演奏《えんそう》しているかのようです。その音《おと》を聞《き》く人《ひと》は、みんな自然《しぜん》に、ほとけさまのすがた、ほとけさまの教《おし》え、そして教《おし》えを聞《き》く人《ひと》びとのことを思《おも》うこころが生《う》まれます。

舎利弗《しゃりほつ》よ。極楽《ごくらく》の世界《せかい》は、このようにすべてが整《ととの》っているのです。

舎利弗《しゃりほつ》よ。極楽《ごくらく》の世界《せかい》のほとけさまは、どうして阿弥陀《あみだ》というお名《な》前《まえ》なのだと思《おも》いますか。それは、阿弥陀《あみだ》さまの光明《こうみょう》に限《かぎ》りがなく、すべての方角《ほうがく》にある国々《くにぐに》をすみずみまで照《て》らし、さまたげるものは何《なに》もないからです。また、寿命《いのち》に限《かぎ》りがなく、救《すく》われる人《ひと》びとに限《かぎ》りがないからです。だから阿弥陀《あみだ》というお名前《なまえ》なのです。

舎利弗《しゃりほつ》よ。阿弥陀《あみだ》さまは、十劫《じっこう》も前《まえ》という、はるかむかしから、ほとけさまになっておられます。そして、数《かぞ》えきれないほどたくさんの弟子《でし》といっしょに、極楽《ごくらく》の世界《せかい》におられるのです。

また舎利弗《しゃりほつ》よ。極楽《ごくらく》の世界《せかい》に生《う》まれることになった人《ひと》は、ふたたびなやみ悲《かな》しむ世界《せかい》にもどることはありません。そうなった人《ひと》は、とてもたくさんいるのです。舎利弗《しゃりほつ》よ。阿弥陀《あみだ》さまの極楽《ごくらく》の世界《せかい》に生《う》まれたいと願《ねが》いましょう。なぜなら、極楽《ごくらく》の世界《せかい》に生《う》まれると、阿弥陀《あみだ》さまやその弟子《でし》たちといっしょに一《ひと》つの場所《ばしょ》で出会《であ》うことができるからです。

しかし、少《すこ》しくらい善《よ》い行《おこな》いを積《つ》み重《かさ》ねただけでは、極楽《ごくらく》の世界《せかい》に生《う》まれることはできません。極楽《ごくらく》の世界《せかい》に生《う》まれる種《たね》は念仏《ねんぶつ》です。一日《いちにち》でも二日《ふつか》でも、あるいは七日《なのか》でも、こころを散《ち》らさずひたすらに阿《あ》弥陀《みだ》さまの名《な》、南無阿弥陀仏《なむあみだぶつ》を称《とな》えると、生《い》きているうちは阿弥陀《あみだ》さまとその弟子《でし》たちにまもられ、いのちが終《お》わるとすぐ、阿弥陀《あみだ》さまの極楽《ごくらく》の世界《せかい》に生《う》まれることができるのです。

舎利弗《しゃりほつ》よ。これまで話《はな》してきたことは、わたしが阿弥陀《あみだ》さまの功徳《くどく》をはっきりと知《し》っているから伝《つた》えたのです。わたしが今《いま》、想像《そうぞう》をこえた阿弥陀《あみだ》さまの功徳《くどく》をほめているように、ほかの多《おお》くのほとけさまたちも、同《おな》じように阿弥陀《あみだ》さまのことをほめ讃《たた》えているのです。

東《ひがし》の世界《せかい》には阿閦鞞仏《あしゅくびぶつ》や須弥相仏《しゅみそうぶつ》や大須弥仏《だいしゅみぶつ》などのほとけさまがおられ、それぞれの国《くに》で、あらゆる世界《せかい》をすべておおうほどの大《おお》きな舌《した》を出《だ》して、まごころをこめた声《こえ》で、こうよびかけています。

「みなさん、この阿弥陀《あみだ》さまの功徳《くどく》を伝《つた》える言葉《ことば》を信《しん》じなさい。わたしたちほとけは、阿弥陀《あみだ》さまの功徳《くどく》を明《あき》らかにするお経《きょう》と、信《しん》じる人《ひと》びとをまもります」と。

南《みなみ》の世界《せかい》には日月燈仏《にちがつとうぶつ》や名聞光仏《みょうもんこうぶつ》や大焔肩仏《だいえんけんぶつ》などのほとけさまたちがおられます。

西《にし》の世界《せかい》には無量寿仏《むりょうじゅぶつ》や無量相仏《むりょうそうぶつ》や無量幢仏《むりょうどうぶつ》などのほとけさまたちがおられます。

北《きた》の世界《せかい》には焔肩仏《えんけんぶつ》や最勝音仏《さいしょうおんぶつ》や難沮仏《なんそぶつ》などのほとけさまたちがおられます。

下《した》の方《ほう》の世界《せかい》には師子仏《ししぶつ》や名聞仏《みょうもんぶつ》や名光仏《みょうこうぶつ》などのほとけさまたちがおられます。

上《うえ》の方《ほう》の世界《せかい》には梵音仏《ぼんのんぶつ》や香上仏《こうじょうぶつ》などのたくさんのほとけさまたち

がおられます。

ほとけさまたちは、それぞれの国《くに》で、あらゆる世界《せかい》をすべておおうほどの大《おお》きな舌《した》を出《だ》して、まごころをこめた声《こえ》で、こうよびかけているのです。

「みなさん、この阿弥陀《あみだ》さまの功徳《くどく》を伝《つた》える言葉《ことば》を信《しん》じなさい。わたしたちほとけは、阿弥陀《あみだ》さまの功徳《くどく》を明《あき》らかにするお経《きょう》と、信《しん》じる人《ひと》びとをまもります」

舎利弗《しゃりほつ》よ。多《おお》くのほとけさまたちがほめ讃《たた》えるこの物語《ものがたり》を聞《き》く者《もの》はみんな、ほとけさまたちにまもられて、ふたたびなやみ悲《かな》しむ世界《せかい》にもどることはありません。そしてかならず阿弥陀《あみだ》さまの国《くに》に生《う》まれることができるのです。

舎利弗《しゃりほつ》よ。あなたたちは、わたしの言葉《ことば》と、たくさんのほとけさまたちの言葉《ことば》を信《しん》じなさい。すでに信《しん》じて阿弥陀《あみだ》さまの極楽《ごくらく》の世界《せかい》に生《う》まれたいと願《ねが》っている人《ひと》も、今願《いまねが》いはじめた人《ひと》も、これから願《ねが》う人《ひと》も、だれもがみんな阿弥陀《あみだ》さまの極楽《ごくらく》の世界《せかい》に生《う》まれる身《み》となって、ふたたびなやみ悲《かな》しむことはないのです。その阿弥陀《あみだ》さまの極楽《ごくらく》の世界《せかい》に、すでに生《う》まれた人《ひと》もいます。今生《いまう》まれている人《ひと》もいます。これから生《う》まれる人《ひと》もいます。

早《はや》く信《しん》じて、阿弥陀《あみだ》さまの極楽《ごくらく》の世界《せかい》に生《う》まれたいという決心《けっしん》をしましょう。

舎利弗《しゃりほつ》よ。今《いま》わたしは、多《おお》くのほとけさまが阿弥陀《あみだ》さまの功徳《くどく》をほめ讃《たた》えているようすを伝《つた》えました。同《おな》じように、そのほとけさまたちも、わたしが阿弥陀《あみだ》さまの功徳《くどく》をほめ讃《たた》えたようすを、こう語《かた》られています。

「人《ひと》びとがなやみ悲《かな》しむ、にごった世界《せかい》にお釈迦《しゃか》さまは生《う》まれてきて、さとりを開《ひら》き、すべての人《ひと》びとのために、信《しん》じることがむずかしい念《ねん》仏《ぶつ》の教《おし》えを伝《つた》えておられます」と。

舎利弗《しゃりほつ》よ。わたしは、にごったこの世界《せかい》に生《う》まれてきて、さとりを開《ひら》きました。そして、信《しん》じることがむずかしい念仏《ねんぶつ》の教《おし》えを、すべての人《ひと》びとが信《しん》じられるように、この物語《ものがたり》をお話《はな》ししたのです。

お釈迦《しゃか》さまは、このようにして話《はなし》を終《お》えました。舎利弗《しゃりほつ》をはじめ、たくさんの人《ひと》びとは、このお話《はなし》を聞《き》いて、よろこび信《しん》じ、お礼《れい》を言《い》い、お釈迦《しゃか》さまの前《まえ》から立《た》ち去《さ》ったのでした。

正信偈
しょうしんげ

主《おも》な登場人物《とうじょうじんぶつ》　『正信偈《しょうしんげ》』編《へん》

◇阿弥陀《あみだ》さま……お釈迦《しゃか》さまのお話《はなし》（お経《きょう》）に出《で》てくるほとけさま。法蔵菩薩《ほうぞうぼさつ》が修行《しゅぎょう》を完成《かんせい》し、ほとけになった姿《すがた》。どんな人《ひと》も救《すく》って迎《むか》えたいと、48の願《ねが》いをたてて、浄土《じょうど》という国《くに》をつくった。

◇法蔵菩薩《ほうぞうぼさつ》……阿弥陀《あみだ》さまがほとけになる前《まえ》の姿《すがた》。一国《いっこく》の王様《おうさま》だったが、苦《くる》しみ悲《かな》しむ人々《ひとびと》を救《すく》いたいと、自分《じぶん》の地位《ちい》を捨《す》てて修行《しゅぎょう》をする。

◇世自在王仏《せじざいおうぶつ》……お釈迦《しゃか》さまのお話《はなし》に出《で》てくる、法蔵菩薩《ほうぞうぼさつ》の先生《せんせい》のほとけさま。

○お釈迦《しゃか》さま……西暦紀元前《せいれききげんぜん》624年ごろの4月《がつ》8日《か》にインドに生《う》まれる。仏教《ぶっきょう》を最初《さいしょ》に人々《ひとびと》に伝《つた》えた人《ひと》。

○龍樹《りゅうじゅ》さま……西暦《せいれき》150年《ねん》ごろインドに生《う》まれる。『十住毘婆沙論《じゅうじゅうびばしゃろん》』という本《ほん》を書《か》いた。

○天親《てんじん》さま……西暦《せいれき》400年《ねん》ごろインドに生《う》まれる。『浄土論《じょうどろん》』という本《ほん》を書《か》いた。

○曇鸞《どんらん》さま……西暦《せいれき》476年《ねん》、中国《ちゅうごく》に生《う》まれる。天親《てんじん》さまの『浄土論《じょうどろん》』をくわしく解釈《かいしゃく》した『浄土論註《じょうどろんちゅう》』という本《ほん》を書《か》いた。

○道綽《どうしゃく》さま……西暦《せいれき》562年《ねん》、中国《ちゅうごく》に生《う》まれる。お釈迦《しゃか》さまがお話《はな》しされた『観無量寿《かんむりょうじゅ》経《きょう》』について、くわしく解釈《かいしゃく》した『安楽集《あんらくしゅう》』という本《ほん》を書《か》いた。

○善導《ぜんどう》さま……西暦《せいれき》613年《ねん》、中国《ちゅうごく》に生《う》まれる。道綽《どうしゃく》さまに直接学《ちょくせつまな》び、『観無量寿経《かんむりょうじゅきょう》』についてくわしく解釈《かいしゃく》した『観経疏《かんぎょうしょ》』という本《ほん》を書《か》いた。

○源信《げんしん》さま……西暦《せいれき》942年《ねん》(平安時代《へいあんじだい》)、日本《にほん》の現在《げんざい》の奈良県《ならけん》に生《う》まれる。極楽往生《ごくらくおうじょう》と念仏《ねんぶつ》することの大切《たいせつ》さについての文章《ぶんしょう》を集《あつ》めた『往生要集《おうじょうようしゅう》』という本《ほん》を書《か》いた。

○法然《ほうねん》(源空《げんくう》)さま…西暦《せいれき》1133年《ねん》(平安時代《へいあんじだい》)、日本《にほん》の現在《げんざい》の岡山県《おかやまけん》に生《う》まれる。親鸞《しんらん》さまの直接《ちょくせつ》の師《し》。『選択本願念仏集《せんじゃくほんがんねんぶつしゅう》』という本《ほん》を書《か》いた。浄土宗《じょうどしゅう》の開祖《かいそ》。

○親鸞《しんらん》さま……西暦《せいれき》1173年《ねん》(平安時代《へいあんじだい》)、日本《にほん》の現在《げんざい》の京都府《きょうとふ》に生《う》まれる。『正信《しょうしん》偈《げ》』の作者《さくしゃ》。「偈《げ》」とは「うた」の意味《いみ》。本願念仏《ほんがんねんぶつ》の教《おし》えが、時代《じだい》や国《くに》や民族《みんぞく》を超《こ》えて、わたしにまで届《とど》けられたことの感動《かんどう》をうたっている。「浄土真宗《じょうどしんしゅう》」の宗祖《しゅうそ》。

※○は、実在《じつざい》の人物《じんぶつ》。◇は、お話《はなし》の中《なか》に登場《とうじょう》するほとけさまや菩薩《ぼさつ》さま。

『正信偈《しょうしんげ》』

わたしたちを救《すく》ってくださるほとけさま、「阿弥陀《あみだ》さま」は、寿命《いのち》と光明《ひかり》に限《かぎ》りのないお方《かた》です。

阿弥陀《あみだ》さまがほとけさまとなる前《まえ》、法蔵《ほうぞう》という名《な》の菩薩《ぼさつ》だった時《とき》のことです。世自在王仏《せじざいおうぶつ》というほとけさまにお願《ねが》いになり、さまざまなほとけさまの美《うつく》しい国々《くにぐに》のようすを見《み》せてもらいました。

ほとけさまの国々《くにぐに》を見《み》た法蔵菩薩《ほうぞうぼさつ》は、

「悪《わる》いところをすてて、善《よ》いところを選《えら》び取《と》り、このうえなく美《うつく》しい国《くに》、浄土《じょうど》をつくり、どんな人《ひと》でもその国《くに》に生《う》まれることができるようにしたい」

という大《おお》きな願《ねが》いをおこされました。

そして、どうしたらこの願《ねが》いをかなえられるだろうかと、それはそれは長《なが》い間《あいだ》考《かんが》えられました。

長《なが》く考《かんが》えられた後《のち》、法蔵菩薩《ほうぞうぼさつ》は、

「わたしは、南無阿弥陀仏《なむあみだぶつ》という寿命《いのち》と光明《ひかり》に限《かぎ》りのないほとけさまとなって、その名《な》がどんな人《ひと》にもとどき、聞《き》こえるようにしよう。そして、その名《な》を聞《き》く人《ひと》は、みんな浄土《じょうど》へ生《う》まれて、わたしと同《おな》じくほとけさまとなるようにしたい」

と、重《かさ》ねて誓《ちか》われました。

こうしてついに、法蔵菩薩《ほうぞうぼさつ》は願《ねが》いどおりに、寿命《いのち》と光明《ひかり》に限《かぎ》りのないほとけさま、阿弥陀《あみだ》さまとなられました。

その阿弥陀《あみだ》さまの光明《ひかり》には、十二《じゅうに》のはたらきがそなわっています。


一《いち》、限《かぎ》りがなく、いつまでもなくなることがありません。

二《に》、果《は》てしなく、どんなところでも照《て》らします。

三《さん》、なにものにもさまたげられず、どんなものでも照《て》らします。

四《し》、どんなものとも比《くら》べることができません。

五《ご》、光《ひかり》の中《なか》の王《おう》とほめ讃《たた》えられます。

六《ろく》、あらゆるものをきよらかにします。

七《しち》、光明《ひかり》を見《み》る人《ひと》によろこびをあたえます。

八《はち》、闇《やみ》を破《やぶ》り、明《あき》らかにします。
九《く》、たえることなく照《て》らします。
十《じゅう》、わたしたちの思《おも》いがおよばないほど広大《こうだい》です。
十一《じゅういち》、言葉《ことば》や表現《ひょうげん》をこえています。
十二《じゅうに》、太陽《たいよう》や月《つき》の光《ひかり》に勝《まさ》っています。

阿弥陀《あみだ》さまは、このようにはたらく光明《ひかり》を放《はな》って、わたしたちをいつも照《て》らしてくださいます。

わたしたちは、光明《ひかり》のはたらきによって、南無阿弥陀仏《なむあみだぶつ》を称《とな》えることこそが、浄土《じょうど》へ生《う》まれるための行《おこな》いであると、知《し》ることができるのです。

南無阿弥陀仏《なむあみだぶつ》を称《とな》えて浄土《じょうど》へ生《う》まれることができるのは、このお名《な》前《まえ》をわたしたちに聞《き》かせようと誓《ちか》われたほとけさまのおこころが、そのまま念仏《ねんぶつ》を称《とな》える者《もの》のこころとなるからです。

わたしたちが浄土《じょうど》に生《う》まれて、ほとけさまと同《おな》じさとりを得《え》られるのも、念仏《ねんぶつ》を称《とな》える者《もの》をかならず自分《じぶん》と同《おな》じさとりを得《え》させようと、阿弥陀《あみだ》さまが誓《ちか》っておられるからです。


今《いま》からはるか三千年《さんぜんねん》も前《まえ》のインドで、お釈迦《しゃか》さまがこの世《よ》にお出《で》ましになったのは、ひとえに阿弥陀《あみだ》さまの教《おし》えを伝《つた》え広《ひろ》めるためでした。

わたしたちは、お釈迦《しゃか》さまがお話《はな》ししてくださった教《おし》えのお言葉《ことば》によって、阿弥陀《あみだ》さまの救《すく》いを信《しん》じることができるのです。

もし阿弥陀《あみだ》さまの教《おし》えを聞《き》き信《しん》じて、よろこびのこころがわきおこったら、わたしたちは悪《わる》いこころを自分《じぶん》でなくす力《ちから》はなくても、阿弥《あみ》陀《だ》さまのお力《ちから》で、悪《わる》いこころがまったくない、ほとけさまのさとりをいただくことができるのです。

それはちょうど、にごった川《かわ》の水《みず》が海《うみ》に流《なが》れこめば、すべて同《おな》じ青々《あおあお》とした水《みず》となるようなものです。わたしたちは、それぞれ悪《わる》いことをしてきましたが、ひとたび阿《あ》弥《み》陀《だ》さまを信《しん》じたら、阿《あ》弥《み》陀《だ》さまの善《よ》いおこころをいただくのです。

このように、阿《あ》弥《み》陀《だ》さまをひとたび信《しん》じた者《もの》は、阿《あ》弥《み》陀《だ》さまの光明《ひかり》にいつも照《て》らされ、まもられて、こころの闇《やみ》を破《やぶ》ってもらうことができます。わたしたちは、時々《ときどき》、欲深《よくぶか》いこころが出《で》てきたり、不満《ふまん》を言《い》ったりして、阿《あ》弥《み》陀《だ》さまを信《しん》じるこころをじゃまするることがあります。でも光がなくなるわけではありません。それはちょうど、太陽《たいよう》が雲《くも》や霧《きり》におおわれても、その下《した》は明《あか》るくて、闇《くら》くないようなものです。

わたしたちはひとたび、阿弥陀《あみだ》さまを信《しん》じたら、どんなこころがじゃまをしても、阿弥陀《あみだ》さまのお誓《ちか》いをうたがい、自分中心《じぶんちゅうしん》のこころにもどってしまうことはありません。だから、阿弥陀《あみだ》さまを信《しん》じてうやまい、こころが大《おお》きなよろこびでいっぱいになった時《とき》には、ふたたびこころの闇《やみ》に迷《まよ》うことはないのです。

善《よ》い人《ひと》でも悪《わる》い人《ひと》でも、阿弥陀《あみだ》さまを信《しん》じる人《ひと》を、お釈迦《しゃか》さまは「美《うつく》しく真《ま》っ白《しろ》な蓮《はす》の花《はな》のような人《ひと》よ」とほめ讃《たた》えられます。

しかし、まちがった考《かんが》えをしたり、自分《じぶん》だけが正《ただ》しいと思《おも》い込《こ》んだりする人《ひと》たちは、阿弥陀《あみだ》さまをなかなか信《しん》じることができません。なぜなら、その人《ひと》はどこまでも自分中心《じぶんちゅうしん》に生《い》きているからです。このような人《ひと》が阿弥陀《あみだ》さまのおこころを信《しん》じるようになることほど、むずかしいことはありません。

お釈迦《しゃか》さまがインドにお出《で》ましになった後《あと》、インドには龍樹《りゅうじゅ》さまと天親《てんじん》さまが、中国《ちゅうごく》には曇鸞《どんらん》さまと道綽《どうしゃく》さまと善導《ぜんどう》さまが、日本《にほん》には源《げん》信《しん》さまと法然《ほうねん》さまがお出《で》ましになり、お釈迦《しゃか》さまがお話《はな》しされた阿弥《あみ》陀《だ》さまの教《おし》えを伝《つた》え広《ひろ》められました。

お釈迦《しゃか》さまがお亡《な》くなりになってから、この世《よ》に阿弥陀《あみだ》さまの教《おし》えを広《ひろ》められた最初《さいしょ》の方《かた》は、龍樹《りゅうじゅ》さまです。

かつてお釈迦《しゃか》さまは、楞伽山《りょうがせん》という山で、おおぜいの弟子《でし》たちに、「わたしが亡《な》くなった後《あと》、南《みなみ》インドに龍樹《りゅうじゅ》という人《ひと》があらわれて、多《おお》くの人《ひと》びとのまちがった考《かんが》えを砕《くだ》き、阿弥陀《あみだ》さまの教《おし》えを広《ひろ》めるでしょう。そして、みずからよろこんで、阿弥陀《あみだ》さまの浄土《じょうど》へ生《う》まれるでしょう」

と、予言《よげん》をされました。

そのお言葉《ことば》どおり、お釈迦《しゃか》さまが亡《な》くなられて約六百年後《やくろっぴゃくねんご》に、龍樹《りゅうじゅ》さまは南《みなみ》インドにお出《で》ましになりました。

龍樹《りゅうじゅ》さまは、お釈迦《しゃか》さまがお話《はな》しになった教《おし》えの中《なか》には、険《けわ》しい道《みち》を歩《ある》くような難《むずか》しい教《おし》えと、船《ふね》に乗《の》って航海《こうかい》するような易《やさ》しくて安心《あんしん》できる教《おし》えがあることを伝《つた》えられました。

龍樹《りゅうじゅ》さまは、

「阿弥陀《あみだ》さまのおこころを信《しん》じ、念仏《ねんぶつ》を称《とな》えて、浄土《じょうど》に生《う》まれる。これこそだれもが安心《あんしん》できる教《おし》えなのです。この阿弥陀《あみだ》さまの教《おし》えを、みんな信《しん》じましょう。阿弥陀《あみだ》さまのおこころを信《しん》じた時《とき》、同《おな》じさとりを得《え》られることが決《き》まるのです。だから、阿弥陀《あみだ》さまの広大《こうだい》なおこころを思《おも》い、いつでも念仏《ねんぶつ》を称《とな》えましょう」

と、言《い》われました。

龍樹《りゅうじゅ》さまの次《つぎ》に、同《おな》じくインドでは天親《てんじん》さまがお出《で》ましになりました。

天親《てんじん》さまは、『浄土論《じょうどろん》』という書物《しょもつ》をお書《か》きになりました。天親《てんじん》さまは、はじめに「わたしは阿弥陀《あみだ》さまを信《しん》じます」と宣言《せんげん》され、お釈《しゃ》迦《か》さまがお話《はな》しされた『阿弥陀《あみだ》さまの浄土《じょうど》についての三《みっ》つの物語《ものがたり》』によって、阿弥陀《あみだ》さまのおこころを広《ひろ》められました。

天親《てんじん》さまは、阿弥陀《あみだ》さまのおこころが強《つよ》くはたらくことによって、わたしたちが一心《いっしん》に阿弥陀《あみだ》さまを信《しん》じるようになることを明《あき》らかにされました。また、

「ひとたび阿弥陀《あみだ》さまを信《しん》じれば、その時《とき》からすぐに、阿弥陀《あみだ》さまの浄土《じょうど》で自由自在《じゆうじざい》に遊《あそ》んでいるような気持《きも》ちになります。いのちが終《お》わって浄土《じょうど》へ生《う》まれたら、阿弥陀《あみだ》さまと同《おな》じさとりを得《え》ることができるのです」

と、言《い》われました。そればかりでなく、ふたたびこの迷《まよ》いの世《よ》にかえってきても、思《おも》いのままに人《ひと》を救《すく》うはたらきを持《も》つようになることを、教《おし》えられました。

中国《ちゅうごく》が梁《りょう》という名《な》の時代《じだい》に、曇鸞《どんらん》さまがお出《で》ましになりました。学《がく》問《もん》にすぐれたすばらしい方《かた》で、梁《りょう》の国王《こくおう》はいつも曇鸞《どんらん》さまのおられる方角《ほうがく》に向《む》かって「鸞菩薩《らんぼさつ》」とうやまっていたと伝《つた》えられます。

曇鸞《どんらん》さまは最初《さいしょ》、いつまでも死《し》ぬことのない長生《ながい》きの法《ほう》を、仙人《せんにん》の教《おし》えから学《まな》んでいました。ある時《とき》、菩提流支《ぼだいるし》というお坊《ぼう》さんから、限《かぎ》りない寿命《いのち》を明《あき》らかにするお経《きょう》を授《さず》けられ、阿弥陀《あみだ》さまを信《しん》じ、浄土《じょうど》へ生《う》まれることこそ、本当《ほんとう》に死《し》ぬことのない道《みち》であると、教《おし》えられました。そこで曇鸞《どんらん》さまは、すぐさま仙人《せんにん》の書物《しょもつ》を焼《や》きすてて、浄土《じょうど》へ生《う》まれる教《おし》えを大切《たいせつ》にする者《もの》となりました。

それからというもの、曇鸞《どんらん》さまは力《ちから》のかぎり阿弥陀《あみだ》さまの教《おし》えをたずね求《もと》め、特《とく》にインドの天親《てんじん》さまが書《か》かれた『浄土論《じょうどろん》』のおこころを明《あき》らかにすることに最《もっと》も力《ちから》を注《そそ》がれました。曇鸞《どんらん》さまは、わたしたちが阿弥陀《あみだ》さまの浄土《じょうど》へ生《う》まれることができる種《たね》も、浄土《じょうど》へ生《う》まれてから身《み》につく、すぐれたすがたやはたらきも、すべて阿弥陀《あみだ》さまのお誓《ちか》いによって成《な》り立《た》つことを明《あき》らかにしました。また曇鸞《どんらん》さまは、わたしたちが浄土《じょうど》に生《う》まれるのも、迷《まよ》いの人《ひと》びとを救《すく》うために浄土《じょうど》からこの世《よ》へかえってくることができるのも、ひとえに阿弥陀《あみだ》さまの本願他《ほんがんた》力《りき》というはたらきによると受《う》け止《と》められました。そして、

「阿弥陀《あみだ》さまの本願他力《ほんがんたりき》を信《しん》じるだけで、どんな罪《つみ》をおかした人《ひと》でも、迷《まよ》いの身《み》のままに、ほとけさまのさとりの種《たね》をいただき、いずれかならず光《ひか》りかがやく浄土《じょうど》に生《う》まれて、あらゆる人《ひと》びとを救《すく》うことができるようになるのです」

と、伝《つた》えられました。

曇鸞《どんらん》さまの次《つぎ》に、中国《ちゅうごく》には道綽《どうしゃく》さまがお出《で》ましになりました。道綽《どうしゃく》さまは、お釈迦《しゃか》さまの教《おし》えの中《なか》で、この世《よ》でさとりを開《ひら》くことを教《おし》える「聖《せい》なる者《もの》になる教《おし》え」では、今《いま》の世《よ》に生《い》きる人《ひと》びとはさとりを開《ひら》くのはむずかしいと、はっきり示《しめ》しました。そして、ただ阿弥《あみ》陀《だ》さまを信《しん》じて、浄土《じょうど》へ生《う》まれることを教《おし》える「浄土《じょうど》の教《おし》え」こそ、今《いま》の世《よ》に、だれもが入《はい》ることのできる教《おし》えであると明《あき》らかにされました。

道綽《どうしゃく》さまは、

「どんな善《よ》いことでも、わたしたちが自分《じぶん》の力《ちから》でするのなら、それは浄土《じょうど》へ生《う》まれる種《たね》にはなりません。阿弥陀《あみだ》さまのすぐれたはたらきがそなわった念仏《ねんぶつ》を、ただ称《とな》えることだけが、浄土《じょうど》へ生《う》まれる種《たね》なのです」

と言《い》って、念仏《ねんぶつ》をすすめられたのです。

また、念仏《ねんぶつ》を称《とな》えるこころは、よそ見《み》をせず、阿弥陀《あみだ》さまをすなおに、いつまでも信《しん》じ続《つづ》けるこころであると、ていねいに教《おし》えられました。どれだけ時《とき》がたち、世《よ》がにごって、教《おし》えの光《ひかり》がなくなる時《とき》がきても、阿弥陀《あみだ》さまの教《おし》えだけは、いつまでも同《おな》じように、すべての人《ひと》を導《みちび》いてくださるのです。たとえ一生悪《いっしょうわる》いことをしつづける者《もの》でも、阿《あ》弥陀《みだ》さまの教《おし》えに出会《であ》えば、浄土《じょうど》に生《う》まれ、このうえないさとりを得《え》ることを、道綽《どうしゃく》さまは、明《あき》らかにしてくれました。

道綽《どうしゃく》さまの次《つぎ》にお出《で》ましになって、ほとけさまの本当《ほんとう》のおこころを明《あき》らかにされたのが、善導《ぜんどう》さまです。当時《とうじ》、ほとけさまの教《おし》えを学《まな》ぶ人《ひと》はたくさんいましたが、みんなそれぞれに、まちがった意見《いけん》を言《い》い合《あ》い、だれも本当《ほんとう》のほとけさまのおこころを知《し》らず、自分《じぶん》も迷《まよ》い、人《ひと》をも迷《まよ》わせていました。

善導《ぜんどう》さまただお一人《ひとり》が、まちがった考《かんが》えをただして、ほとけさまの正《ただ》しいおこころを明《あき》らかにされたのです。

「阿弥陀《あみだ》さまは、自分《じぶん》の力《ちから》で浄土《じょうど》に生《う》まれようと考《かんが》える者《もの》や、犯《おか》した重《おも》い罪《つみ》のために浄土《じょうど》へ生《う》まれることができない者《もの》を、深《ふか》く悲《かな》しまれました。そのような者《もの》も、阿弥陀《あみだ》さまの光明《ひかり》とお名前《なまえ》とのはたらきによって導《みちび》かれ、浄土《じょうど》へ生《う》まれることができるのです」

と、善導《ぜんどう》さまは伝《つた》えられました。そして、

「この阿弥陀《あみだ》さまの光明《ひかり》とお名前《なまえ》によって、阿弥陀《あみだ》さまの海《うみ》のように深《ふか》い智慧《ちえ》にふれたなら、どんなことがあっても、くだかれることのない、ダイヤモンドのようなこころとなります。そして、おおきなよろこびが自然《しぜん》とわきあがるのです。『仏説観無量寿経《ぶっせつかんむりょうじゅきょう》』のお話《はなし》を聞《き》いた韋提希夫人《いだいけぶにん》のように、もう二度《にど》と迷《まよ》いの世界《せかい》にもどることのない身《み》となり、いのちを終《お》えたらかならず浄土《じょうど》に生《う》まれるのです」

と、言《い》われました。

インドや中国《ちゅうごく》でほとけさまのおこころを伝《つた》えてくださった方々《かたがた》の教《おし》

えに導《みちび》かれて、日本《にほん》には源信《げんしん》さまがお出《で》ましになりました。

源信《げんしん》さまは、お釈迦《しゃか》さまが一生《いっしょう》にわたってお話《はな》しされたあらゆる教《おし》えを広《ひろ》く読《よ》まれました。そして、お釈迦《しゃか》さまが本当《ほんとう》に伝《つた》えたかったのは、念仏《ねんぶつ》して浄土《じょうど》に生《う》まれるという教《おし》えだと知《し》り、自《みずか》ら念仏《ねんぶつ》を称《とな》えて、すべての人《ひと》にも念仏《ねんぶつ》を称《とな》えることをすすめられたのです。

源信《げんしん》さまは、「念仏《ねんぶつ》を称《とな》えることだけをこころがけて、そのほかの思《おも》いをまじえない念仏《ねんぶつ》」と「他《ほか》の修行《しゅぎょう》にもはげみながらする念仏《ねんぶつ》や、いろんな思《おも》いをまじえてする念仏《ねんぶつ》」との、ちがいをはっきり伝《つた》えられました。

そして、念仏《ねんぶつ》だけにこころをかけられない人《ひと》は、本当《ほんとう》の浄土《じょうど》に生《う》まれることができず、仮《かり》の浄土《じょうど》に生《う》まれてしまうと、区別《くべつ》されました。

また源信《げんしん》さまは、罪深《つみぶか》い悪人《あくにん》にとって、念仏《ねんぶつ》を称《とな》えることこそが救《すく》わ

れる、ただ一《ひと》つの道《みち》であることを明《あき》らかにされました。そして、

「念仏《ねんぶつ》を称《とな》える者《もの》は、いつもほとけさまの光明《ひかり》に照《て》らされ、まもられているが、自分中心《じぶんちゅうしん》の思《おも》いが目《め》をさえぎり、光明《ひかり》を見《み》ることができずにいます。それでも、阿弥陀《あみだ》さまは、見捨《みす》てることなく常《つね》にその人《ひと》を照《て》らしていらっしゃいます」

と、言《い》われました。

源信《げんしん》さまの後《あと》に、法然《ほうねん》さまがほとけさまの教《おし》えをいよいよ明《あき》らかにしてくださいました。

善《よ》い行《おこな》いができる人《ひと》も、悪《わる》いことばかりしている人《ひと》もあわれんで、

本当《ほんとう》のほとけさまの教《おし》えをこの日本《にほん》に開《ひら》きました。そして、ただ念仏《ねんぶつ》を称《とな》えることを、浄土《じょうど》に生《う》まれるもととして選《えら》び取《と》られた、ほとけさまのおこころをこの世《よ》にひろめられました。

法然《ほうねん》さまは、

「わたしたちがいつまでも迷《まよ》ってばかりなのは、この念仏《ねんぶつ》をうたがって信《しん》じないからなのです。浄土《じょうど》に生《う》まれるには、南無阿弥陀仏《なむあみだぶつ》を信《しん》じる以外《いがい》にありません」

と、言《い》われました。

このように、お釈迦《しゃか》さまをはじめ、インド・中国《ちゅうごく》・日本《にほん》の高僧方《こうそうがた》が、ほとけさまのおこころを、みずからお受《う》け止《と》めになって、悪《あく》でにごり、迷《まよ》い悲《かな》しみのつきることがないこの世界《せかい》に、わたしたちの救《すく》いを明《あき》らかにしてくださいました。みなさん、どうかともに高僧方《こうそうがた》が信《しん》じ伝《つた》えてくださった念仏《ねんぶつ》の教《おし》えを信《しん》じましょう。

龍樹《りゅうじゅ》さま

天親《てんじん》さま

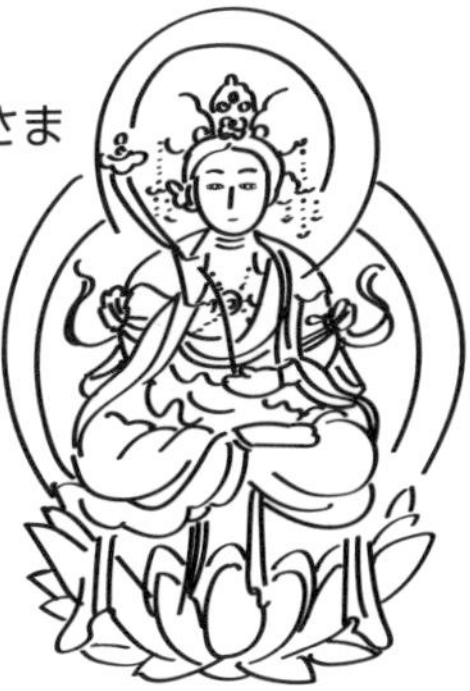

曇鸞《どんらん》さま

道綽《どうしゃく》さま

善導《ぜんどう》さま

源信《げんしん》さま

源空《げんくう》(法然《ほうねん》)さま

注　子どもとともに本書を読んでくださる方へ

『仏説観無量寿経《ぶっせつかんむりょうじゅきょう》』の物語には、二人の大臣の言葉によって、大臣に見放されることを恐れた阿闍世《あじゃせ》が母韋提希《いだいけ》を殺そうとする手を止めた場面が出てきます。そこには、

「未《いま》だむかしにも聞かず、無道《むどう》に母を害《がい》することあるをば。王いまこの殺逆《せつぎゃく》の事をなさば、刹利種《せつりしゅ》を汚《けが》してん。臣《しん》聞くに忍《しの》びず。これ栴陀羅《せんだら》なり。宜《よろ》しく此《ここ》に住《じゅう》すべからず」

という大臣の言葉があります。

「栴陀羅《せんだら》（旃陀羅）」とは、古代インド以来、もっとも不浄《ふじょう》（浄《きよ》くない・けがれている）とみなされ、社会から差別されてきた人々を指す言葉です。社会の中で不浄とされることに、根拠や理由があるわけではありません。ただ、多数派にとって社会がうまくまわるように、ある人たちを不浄と見てきたのです。仏教は、生まれによって決まるこうした差別を否定する教えでもありました。現在のインドでは、その教えを大事に思い、仏教徒になる人々が増えていると言われます。

しかし、かつて真宗教団は、「阿闍世王は、暴悪にして無道であるという点で、栴陀羅と同類であるから、これ栴陀羅なりというのである」などと理解していました。そし

て、その栴陀羅を日本社会の差別構造の「穢多《えた》」と同じようなものと考え、そう伝えてきてしまいました。さらにこのお経の言葉は、「母殺しをする者は栴陀羅である」と言っているのだと解説してきました。それは、今も差別にあう方々の苦しみを、いっそう強めるものでした。そして長い間、その解説の誤りに気づくことさえできないでいました。

この問題について、現在いろいろな声があがっています。『真宗児童聖典』をつくるときも、「お経の言葉をそのまま載せた方がよいのではないか」「「いまお母さまを殺すなら、あなたは王族の道をけがすことになります。それは一番けがれているものです」というように、言葉を置き換えて表現すべきではないか」など、様々な意見が出されました。話し合いの末、この本では、「王位欲しさに父を殺した悪い王さまは、むかし、たくさんいたと聞いています。しかし、これまで王族の道をはずれて、母親を殺した王さまがいたということは、聞いたことがありません。いまお母さまを殺すなら、あなたは王族の道にそむくことになります。そうなれば、あなたとここにいることはできませんん」という表現になっています。子どもとともにこの本を読んでくださる方は、『仏説観無量寿経』の物語を通して、自分や自分以外の人をきずつけていないか、考えてくださされば幸いです。

あとがき——本書出版のあゆみ——

明治期、真宗大谷派の寺院でさまざまな社会的活動がはじまりました。そのなかで「子ども会」「日曜学校」が盛んに取り組まれた時期があります。当時、寺院の現場から「子ども会」「日曜学校」の運営、教案（学習指導案）についての要望が、大谷派慈善協会に多数寄せられました。会長であり、宗門内外の社会事業を推進した宣暢院瑩韶《せんちょういんえいしょう》（大谷瑩韶《おおたにえいしょう》）は、同会の機関誌『救済』で、児童教化を推奨して大谷派のあるべき姿を示しました。そして一九一五（大正四）年には、自ら大谷派児童教会を設立しました。

その時期の日本は、米騒動（一九一八〈大正七〉年）が起こるなど、経済的混乱からの転換が迫られていました。そうした状況の中、宗門は、一九二〇（大正九）年に武内《たけうち》了温《りょうおん》（一八九一～一九六八）を迎え、翌年に社会教化の部門として「社会課」を設置し、同協会の事業を継承します。同課では専門家養成の社会事業講習所を設置し、順次取り組みました。武内のもとには、児童教化を志す人々が集いました。児童教化の担当に高《たか》濱哲雄《はまとしお》を迎え、一九二二（大正十一）年、機関誌『児童と宗教』が月刊誌として刊行されました。

その巻頭の一文には、こうあります。

汚れ少なき生をうけたる衆生もあらん。彼等法を聞かずば終いに滅亡せん。

「汚れ少なき生をうけたる衆生」とは、子どもを意味します。「彼等法を聞かずば終いに滅亡せん」とは、子どもたちに仏教の教え、親鸞聖人の教えを伝えなければ末路は大変なことになるという意味でしょう。ここに、大谷派の児童教化の果たすべき役割と、託された使命が見事に示されています。

一九二四（大正十三）年、『児童と宗教』第三巻からは、仏教学者の大河内《おおこうち》了悟《りょうご》（一八九七～一九七六）が編著者となり、「真宗児童聖典私考」の連載がスタートします。大河内は執筆にあたり、「他日、「真宗児童聖典」編纂の日の生まれ出づることを念じて止まない次第である」と記しています。『仏説無量寿経』、『仏説観無量寿経』、『仏説阿弥陀経』、そして『正信偈』。大河内によって「真宗児童聖典私考」は書き進められました。

連載刊行から約百年。大河内の願いを受け、宗祖親鸞聖人御誕生八百五十年・立教開宗八百年慶讃法要記念事業の一つとして、このたび『真宗児童聖典』が叢書出版されます。本書出版に向け、青少幼年センターにて真宗児童聖典プロジェクトが発足し、検討と準備が始まりました。プロジェクトでは、大河内による「真宗児童聖典私考」を主軸に据え、お聖教や先行研究を参照しながら、議論を重ね、作業を進めました。

かつて青少幼年教化を推進した諸先輩によって受け継がれたバトンが、今、わたしたちに届けられました。わたしたちは、このバトンを手渡します。

本書が、児童教化のますますの発展につながることを願いつつ。

真宗大谷派青少幼年センター
真宗児童聖典プロジェクト

佐賀枝夏文
四衢　亮
三木　朋哉
戸次　公正
七尾　真澄
難波　教行

真宗児童聖典《しんしゅうじどうせいてん》

2023年 6 月30日　第 1 刷発行
2024年 5 月28日　第 5 刷発行

企画・制作　真宗大谷派青少幼年センター
〒600-8164　京都市下京区諏訪町通
六条下る上柳町199番地
TEL 075-354-3440　FAX 075-371-6171
E-mail oyc@higashihonganji.or.jp

発行者　木越　渉
発行所　東本願寺
印　刷　寶印刷工業所

Printed in Japan　ISBN 978-4-8341-0677-0

本書は、「宗祖親鸞聖人御誕生八百五十年・立教開宗八百年慶讃法要」を機縁に制作しました。